CW00798066

The Pepin Press

*Visual Encyclopedia*
*Visuelle Enzyklopädie*
*Encyclopédie Visuelle*
*Enciclopedia Visuale*
*Enciclopedia Visual*

ビジュアル百科事典
視覚百科全書

建築

# Architecture
# Architektur
# Architecture
# Arquitectura
# Architettura

The Pepin Press publishes a wide range of books and book+CD-Rom sets
on architecture, ornament, costume, and various types of design.
For more information, please consult our website: www.pepinpress.com

ISBN 90 5496 077 9

This book is produced by The Pepin Press in Amsterdam and Singapore.

Visual Encyclopædia design concept: Dorine van den Beukel and Pepin van Roojen
This volume is edited and designed by Dorine van den Beukel
German, French, Italian and Spanish translations: LocTeam, Barcelona
Japanese and Chinese translations: Link-Up Mitaka, Leeds


The Pepin Press BV
P.O. Box 10349
1001 EH Amsterdam
mail@pepinpress.com
www.pepinpress.com


Printed and bound in Singapore

2005  04  03  02
10  9  8  7  6  5  4  3  2

# Contents

## Introduction

THE PEPIN PRESS VISUAL ENCYCLOPÆDIAS are massive visual resources, containing thousands of high-quality line drawings per volume and featuring practically every country in the world. The following themes have been published or are in preparation: ARCHITECTURE, COSTUME, ORNAMENTAL DESIGN and FURNITURE. More volumes are to follow. Each book exhaustively covers the great cultures, such as Ancient Egypt, the Mayas, Persia, China, Japan, India, and the Muslim World. For Europe, the usual chronology is followed: Prehistory and Classical Cultures, the Middle Ages, Renaissance, Baroque, etc. However, the focus is certainly not only on the established highlights; also less prominent, but equally interesting items are illustrated. Much attention, too, is given to the cultural expressions of less documented regions. So in addition to classical themes such as Greek vases, Italian churches, and 18th-century fashion from Paris, in the Pepin Press Visual Encyclopaedias one can find, for example, constructions and designs from the Solomon Islands, costume from Friesland, Cabo Verde and Uzbekistan, Eskimo carvings, and ornaments from Benin.

The illustrations and captions on each page are ordered from left to right and from top to bottom.

## Einführung

DIE VISUELLEN ENZYKLOPÄDIEN VON PEPIN PRESS sind umfassende visuelle Ressourcen mit tausenden von qualitativ hochwertigen Linienzeichnungen in jedem Band, in denen praktisch jedes Land der Welt enthalten ist. Veröffentlicht oder in Vorbereitung sind die Themenbereiche ARCHITEKTUR, KOSTÜME, DEKORATIVE KUNST und MÖBEL; weitere Bände sind geplant. Jeder Band behandelt ausführlich die großen Kulturkreise wie Altägypten, die Mayas, Persien, China, Japan, Indien und die moslemische Welt. Für Europa wurde die übliche Zeitenfolge eingehalten, nämlich Vorgeschichte und klassische Kulturen, Mittelalter, Renaissance, Barock usw. Dennoch liegt der Schwerpunkt nicht ausschließlich auf den anerkannten kulturellen Höhepunkten; auch weniger bekannte, jedoch ebenso interessante Aspekte werden illustriert. Sehr viel Aufmerksamkeit wurde auch den kulturellen Ausdrucksformen weniger dokumentierter Regionen zuteil. So findet der Leser in den Visuellen Enzyklopädien von Pepin Press neben klassischen Themen wie griechischen Vasen, italienischen Kirchen und Mode aus dem 18. Jahrhun-dert aus Paris beispielsweise auch Bauten und Gestaltungsformen von den Salomonen, Kostüme aus Friesland, Kap Verde und Usbekistan, Schnit-zereien der Eskimos und Ornamente aus Benin.

Die Illustrationen und Bildunterschriften auf jeder Seite sind von links nach rechts und von oben nach unten geordnet.

## Introduzione

LE ENCICLOPEDIE VISUALI PEPIN PRESS sono delle grandi risorse visuali che contengono migliaia di disegni di alta qualità per ogni volume e abbracciano praticamente tutti i paesi del mondo. Gli argomenti elencati di seguito sono stati pubblicati o sono in corso di preparazione: ARCHITETTURA, COSTUME, DISEGNO ORNAMENTALE e ARREDAMENTO. Seguiranno altri volumi. Ogni libro tratta esaurientemente le grandi culture quali l'Antico Egitto, i Maya, la Persia, la Cina, il Giappone, l'India, il mondo musulmano, ecc. Per l'Europa è stata seguita la cronologia tradizionale: preistoria e culture classiche, Medioevo, Rinascimento, Barocco, ecc. Ad ogni modo, la nostra attenzione non si rivolge esclusivamente agli elementi più salienti: sono stati illustrati anche i punti meno rilevanti ma di altrettanto interesse. Grande attenzione viene inoltre dedicata alle espressioni culturali delle regioni delle quali si dispone di scarsa documentazione. Quindi, oltre agli argomenti classici come i vasi greci, le chiese italiane e la moda parigina del XVII secolo, nelle Enciclopedie visuali Pepin Press si possono trovare, ad esempio, costruzioni e progetti delle Isole Salomone, il costume della Frisia, di Capo Verde e dell'Uzbechistan, le sculture esquimesi e gli ornamenti del Benin.

Le illustrazioni e le didascalie su ogni pagina sono ordinate da sinistra verso destra e dall'alto verso il basso.

## Introduction

LES ENCYCLOPÉDIES VISUELLES PEPIN PRESS sont richement illustrées. Chaque volume contient plusieurs milliers d'illustrations dont la qualité du trait est incomparable et où presque tous les pays du monde sont représentés. Les thèmes suivants ont été publiés ou sont en préparation : ARCHITECTURE, VÊTEMENT, MOTIFS ORNEMENTAUX et MOBILIER. D'autres volumes seront bientôt disponibles. Chaque ouvrage couvre de façon approfondie les grandes civilisations : l'Égypte antique, les Mayas, la Perse, la Chine, le Japon, les Indes, le monde musulman, etc. Pour l'Europe, la chronologie habituelle est suivie : la préhistoire, les cultures classiques, le Moyen Âge, la Renaissance, le baroque, etc. L'encyclopédie ne se limite pas aux faits marquants, loin s'en faut. Des sujets annexes mais tout aussi intéressants sont illustrés.
Une attention toute particulière est également portée sur les représentations culturelles des régions pour lesquelles il n'existe peu de documents. Ainsi, aux thèmes classiques, tels que les vases grecs, les églises italiennes et la mode parisienne du 18ème siècle, s'ajoutent par exemple dans les encyclopédies visuelles Pepin Press la construction et le design des îles Salomon, les habits en Friesland, aux îles Cap-Vert et en Ouzbékistan, les sculptures esquimaudes et les ornements du Bénin.

Les illustrations et les légendes sur chaque page commencent du haut vers le bas et de gauche à droite.


## Introducción

LAS ENCICLOPEDIAS VISUALES DE PEPIN PRESS son fuentes documentales visuales de referencia. Cada volumen contiene miles de ilustraciones de calidad suprema y trazo elegante donde aparecen retratados prácticamente todos los países del mundo. A continuación incluimos una serie de títulos, algunos de los cuales ya están en el mercado, mientras que otros está previsto publicarlos próximamente: ARQUITECTURA, INDUMENTARIA, DISEÑO ORNAMENTAL y MOBILIARIO. Estos títulos se irán ampliando en el futuro con nuevas publicaciones. Cada volumen cubre exhaustivamente las principales culturas, como el antiguo Egipto, el Imperio Maya, Persia, China, Japón, el mundo árabe, etc. Por lo que respecta a Europa, las ilustraciones se presentan ordenadas cronológicamente: prehistoria y culturas clásicas, Edad Media, Renacimiento, Barroco, etc. Las enciclopedias de Pepin Press no se concentran exclusivamente en las piezas más célebres, sino que amplían su espectro para incluir también ilustraciones de objetos y edificios menos prominentes, pero no por ello menos interesantes.
Por otro lado, se presta una atención especial a las manifestaciones culturales de las regiones del mundo menos documentadas. Por ello, además de las piezas clásicas por excelencia, como las vasijas griegas, las iglesias italianas y la moda decimonónica de París, en las enciclopedias de Pepin Press es posible encontrar, por ejemplo, construcciones y diseños procedentes de las islas Salomón, de Frisia, de Cabo Verde y de Uzbekistán; grabados esquimales, y piezas decorativas de Benín.

Las ilustraciones y los pies de fotografía que aparecen en cada página están ordenados de izquierda a derecha y de arriba abajo.

## はじめに

PEPIN PRESSのビジュアル百科事典は充実したビジュアルリソースで、各巻に何千もの質の高い線画を用い、実際に世界中すべての国を取り上げています。以下のテーマはすでに出版されているか、あるいは出版予定の物です。「建築」「衣裳」「装飾デザイン」「家具」。さらに多くの巻が続きます。古代エジプト、マヤ、ペルシャ、中国、日本、インド、イスラム世界などの偉大な文化を各巻が網羅しています。ヨーロッパについては、通常の年代順に、有史前、古典文化、中世、ルネサンス、バロックなどと続きます。しかしすでに広く知られているようなできごとだけでなく、それほど有名ではないことにも焦点を当て、関心を引く項目は同等に図解しています。詳細な記録の少ない地域についての文化的表現にも、細心の注意を払っています。そのため、ギリシャの壷、イタリアの教会、18世紀のパリのファッションといった古典的なテーマに加え、この百科事典では、例えばソロモン諸島の建築やデザイン、フリースラントの衣裳、ヴェルデ岬やウズベキスタン、エスキモーの彫刻、ベニンの装飾なども収めています。

ページごとのイラストや注釈は左から右、上から下の順に並べられています。

## 導 言

佩鵬出版社的視覺百科全書內容豐富，每一捲含有數以千計的優質線條畫，並包括了幾乎所有的國家。已譯出版或正準備出版的專題有：建築、服飾、裝飾設計及家具。今後將出版更多捲冊。每本書詳盡地收集了各主要文化，如古代埃及、馬雅、波斯、中國、日本、印度、伊斯蘭世界等等。就歐洲而言，一般的編年史為：史前、古典文化、中世紀、文藝複興、巴羅克等等。但內容並不僅僅限於重大事件，也包括不那麼重要但同樣有意義的項目。
此外還有較多篇幅涉及到其文化現象至今尚未詳細記錄闡述的地區。因此，在佩鵬出版社的視覺百科全書中，除了希臘花瓶、意大利教堂及十八世紀巴黎時裝等古典專題以外，您還會發現所羅門群島的建築和設計；荷蘭弗裡斯蘭省、卡博弗得及烏茲別克斯坦的服飾；愛斯基摩的雕刻品以及貝寧的裝飾物等等。

每一頁上插圖和說明的排列順序為從左到右，自上而下。

Europe

Europa

Europa

Europe

Europa

ヨーロッパ

歐洲

Mount Athos
Samothrace

Olympia
Mycene
Athens

Mistra

Crete
Knossos

Como
Monza · Brescia · Verona · Vicenza · Venice
Turin
Milano · Mantua
Asti
Cremona
Genova · Bologna
Prato · Ravenna
Pisa · Rimini
Florence
Pesaro · Urbino
Arezzo
Cortona
Montepulciano
Pienza
Todi
Tarquinia · Tivoli
Rome
Pompeii
Paestum
Palermo

Berge

Elgin

Glasgow
Kelso

Galway
IRELAND
Killarney · Cashel
Cork

UNITED
KINGDOM
Gloucester · Oxford
Stonehenge · Windsor Castle
Canterbury

THE
NETHERLANDS · Amsterdam
Antwerp
Brugge · Maas
Ypres · Brussels
Nivelles
BELGIUM

Querqueville
Caen · Laon
Brest · Paris
Nogent-le-Rotrou

FRANCE
SV
Saumur
Poitiers

Cahors · Nîmes
Aix-en-T

Santiago de Compostela
Burgos
Zaragoza
PORTUGAL
Coimbra
El Escorial · Tarragaona
Tomar
Lissabon · Alcánrara
Mérida · Jaen
SPAIN
Seville · Granada

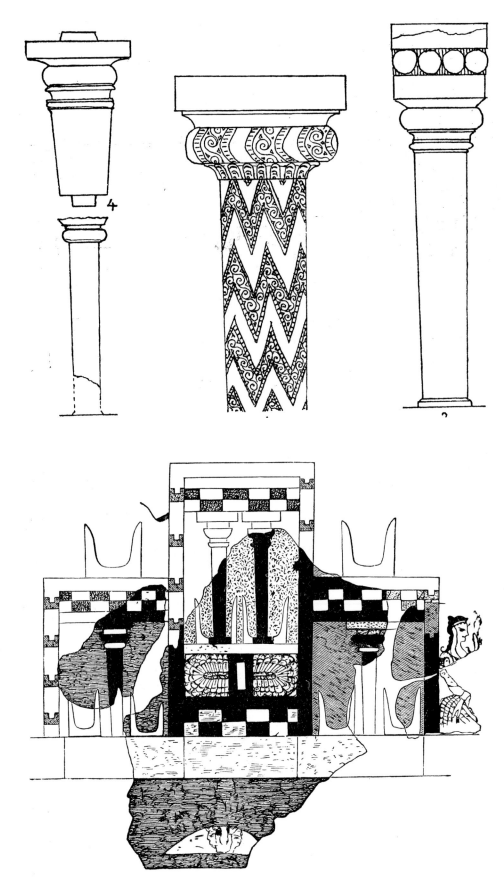

| a | Pillars, Knossos, Crete | Säulen auf Knossos, Kreta | Pilastri, Cnosso, Creta | Diverses colonnes à Knossos, Crète | Varios pilares, Cnossos, Creta |
| b | Fragment, Knossos, Crete | Fragment auf Knossos, Kreta | Frammenti, Cnosso, Creta | Fragment, Knossos, Crète | Fragmento de un templo de Cnossos, Creta |

Greece

| a-b | Lion's gate, Mycenae | Löwentor, Mykenä | Porta del leone, Micene | La porte des Lionnes, Mycènes | Puerta de los Leones, Micenas |
|---|---|---|---|---|---|
| c | Tomb, Mycenae | Grab, Mykenä | Tomba, Micene | Une tombe à Mycènes | Tumba encontrada en Micenas |

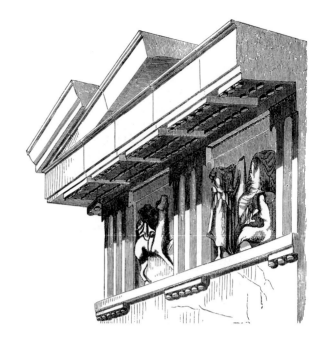

| a | Frize of an Attic-Ionic temple | Fries eines attisch-ionischen Tempels | Fregio di tempio attico-ionico | Frise d'un temple de style attique-ionique | Friso de un templo ático-jónico |
| b-d | Doric freeze | Dorisches Fries | Fregio dorico | Frise dorique | Friso dórico |
| c | Frize of the temple of Athena Polias, Priene, Turkey, 5th century BC, by Pythius | Fries aus dem Tempel von Athene Polias in Priene, Türkei, 5. Jahrhundert v. Chr., von Pythius | Fregio del tempio di Atena Poliàsa, Priene, Turchia, V sec. a.C., Pithio | Frise du temple d'Athéna Polias, sculpté par Phidias au ve siècle av J.-C. (Priène, Turquie) | Friso del templo de Atenea Políada, construido por Piteos en Priene, Turquía, en el siglo v a. C. |

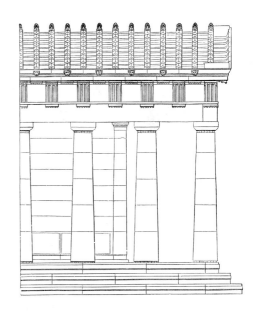

| a | Temple of Athena Nike, Athens, 427-424 BC, by Callicrates | Tempel der Athene Nike in Athen, 427-424 n. Chr., von Callicrates | Tempio di Atena Nike, Atene, 427-424 a.C., Callicrate | Temple d'Athéna Niké conçu par Callicratès à Athènes entre 427 et 424 av J.-C. | Templo de Atenea Niké, erigido en Atenas por Calícrates entre los años 427 y 424 a. C. |
| b | Frontal view of a Doric temple | Vorderansicht eines dorischen Tempels | Vista frontale di un tempio dorico | Vue frontale d'un temple dorique | Imagen frontal de un templo dórico |
| c | Cross section of the temple of Athena Nike, Athens, 427-424 BC, by Callicrates | Kreuzschnitt des Tempels der Athene Nike in Athen, 427-424 von Callicrates | Sezione trasversale del tempio di Atena Nike, Atene, 427-424 a.C., Callicrate | Coupe transversale du temple d'Athéna Niké, à Athènes, conçu par Callicratès entre 427 et 424 av J.-C. | Sección transversal del templo de Atenea Niké, erigido en Atenas por Calícrates entre los años 427 y 424 a. C. |
| d | Side view of a Doric temple | Seitenansicht eines dorischen Tempels | Vista laterale di un tempio dorico | Vue latérale d'un temple dorique | Vista lateral de un templo dórico |

| a | Acropolis, Athens, 447-38 BC, by Ictinus and Callicrates | Akropolis, Athen, 447-38 v. Chr., von Ictinus und Callicrates | Acropoli, Atene, 447-38 a.C., Ictinos e Callicrate | Acropole d'Athènes, conçue par Ictinos et Callicratès entre 447 et 438 av J.-C. | La Acrópolis de Atenas, construida por Ictino y Calícrates entre los años 447 y 438 a. C. |
| b | Parthenon, Athens, 447-38 BC, by Ictinus and Callicrates | Parthenon, Athen, 447-38 v. Chr., von Ictinus und Callicrates | Partenone, Atene, 447-38 a.C., di Ictinos e Callicrate | Parthénon d'Athènes, conçu par Ictinos et Callicratès entre 447 et 438 av J.-C. | El Partenón, Atenas, erigido por Ictino y Calícrates entre los años 447 y 438 a. C. |

Northeastern view of the
Parthenon, Athens, 447-38 BC,
by Ictinus and Callicrates

Nordostansicht des
Parthenon in Athen, 447-38 v.
Chr., von Ictinus und
Callicrates

Vista nord-orientale del
Partenone, Atene, 447-38 a.C.,
Ictinos e Callicrate

Façade nord-est du
Parthénon d'Athènes, conçu
par Ictinos et Callicratès
entre 447 et 438 av J.-C.

Vista desde el nordeste del
Partenón, construido en
Atenas por Ictino y Calícrates
entre los años 447 y 438 a. C.

a

| | | | | | |
|---|---|---|---|---|---|
| a | Erechteum, Athens, 421-05 BC, by Mnesicles | Erechtheion, Athen, 421-05 v. Chr., von Mnesicles | Eretteo, Atene, 421-05 a.C., Mnesicle | L'Érechtéion, Athènes, conçu par Mnesiclès entre 421 et 405 av J.-C. | El Erecteion, en Atenas, erigido por Mnesicles entre los años 421 y 405 a. C. |
| b | Caryatid hall, Athens | Karyatiden, Athen | Sala delle cariatidi, Atene | Entrée des Caryatides, Athènes | Pórtico de las Cariátides, Atenas |
| c | Door of Erechteum | Tür des Erechtheion | Porta dell'Eretteo | Une porte de l'Érechtéion | Puerta del Erecteion |
| d | Attic-Ionic order from the north hall of the Erechteum | Attisch-ionische Anordnung aus der Nordhalle des Erechtheion | Ordine attico-ionico della sala settentrionale dell'Eretteo | Ordre attique-ionique du pronaos nord de l'Érechtéion | Pronaos del Erecteion, de orden ático-jónico |

**Greece, 5th century** BC

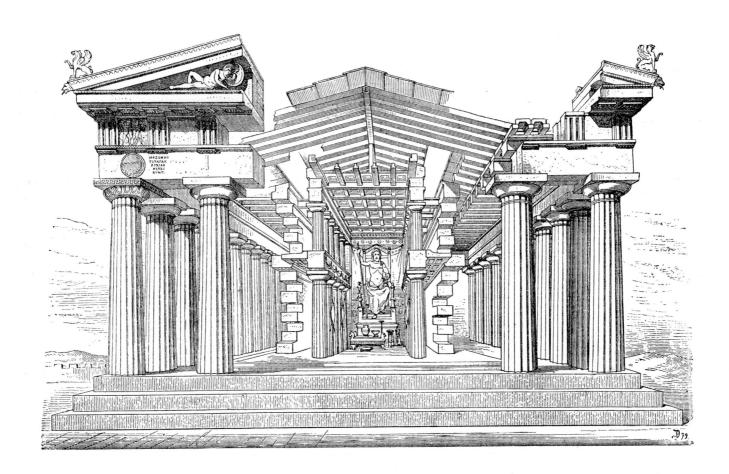

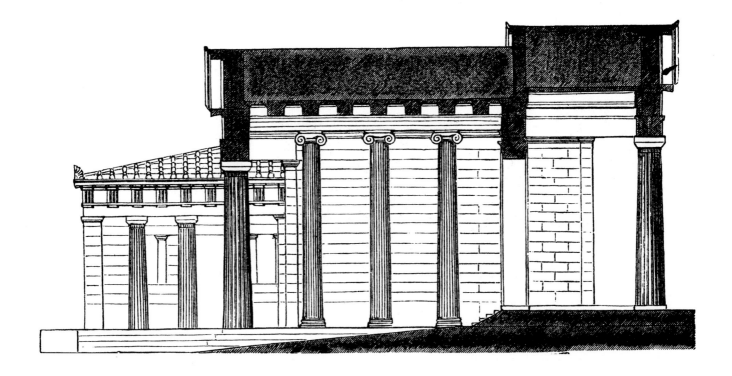

| a | Doric temple | Dorischer Tempel | Tempio dorico | Temple dorique | Templo dórico |
| b | Cross section of propylaea | Querschnitt der Propyläen | Sezione trasversale di un propileo | Coupe transversale des Propylées | Sección transversal de unos propileos |

| a-b | Doric temple of Zeus, Olympia, 460 BC, by Libon of Elis | Dorischer Zeustempel in Olympia, 460 v. Chr., von Libon von Elis | Tempio dorico di Zeus, Olimpia, 460 a.C., Libone di Elis | Temple dorique de Zeus à Olympie, conçu par Libon d'Élis, 460 av J.-C. | Templo dórico erigido en Olimpia en honor a Zeus por Libón de Élide, el año 460 a. C. |

Greece, 5th century BC

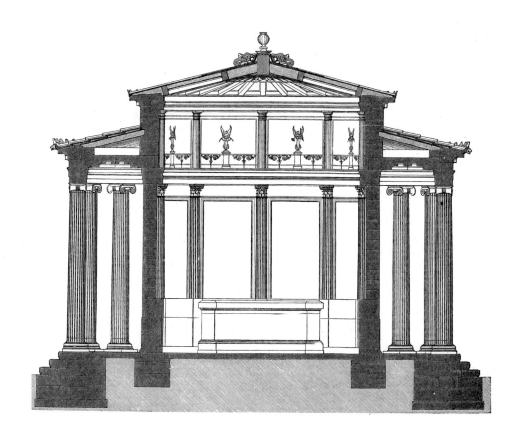

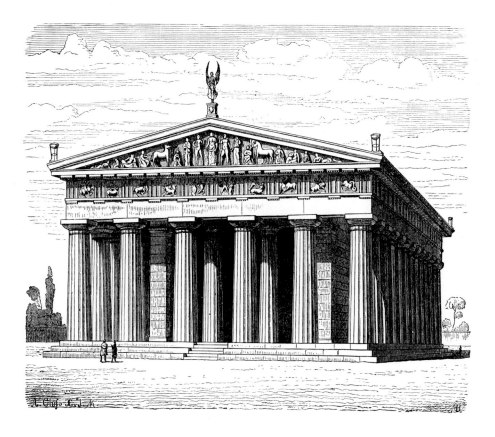

| a | Philippeum, Olympia, 4th century BC | Philippeion in Olympia, 14. Jahrhundert v. Chr. | Filippeo, Olimpia, IV secolo a.C. | Le Philippéion, Olympie, IVe siècle av J.-C. | Pelopios, Olimpia, siglo IV a. C. |
|---|---|---|---|---|---|
| b | Temple of Zeus, Olympia, 460 BC, by Libon of Elis | Zeustempel in Olympia, 460 v. Chr. von Libon von Elis | Tempio di Zeus, Olimpia, 460 a.C., Libone di Elis | Temple de Zeus, Olympie, par Libon d'Élis, 460 av J.-C. | Templo de Zeus, Olimpia, obra de Libón de Élides (460 a.C.) |

**Greece, 5-4th century** BC

| a | Olympia | Olympia | Olimpia | Olympie | Olimpia |
|---|---------|---------|---------|---------|---------|
| b | Gateway of Hadrian, Athens, 2nd century AD | Hadrianstor in Athen, 2. Jahrhundert n. Chr. | Porta di Adriano, Atene, II secolo d.C. | Porte d'Hadrien, Athènes, érigée au IIe siècle | Puerta de Adriano, Atenas, siglo II |
| c | Choragic monument of Lysicrates, Athens, 334 BC | Choregisches Monument für Lysicrates, Athen, 334 v. Chr. | Monumento coreico di Lisicrate, Atene, 334 a.C. | Monument de Lysicratès, Athènes, 334 av J.-C. | Linterna de Lisícrates, Atenas, 334 a. C. |
| d | Arsnoeion, Samothrace, 3rd century BC | Arsinoeion in Samothrace, 3. Jahrhundert v. Chr. | Arsnoeion, Samothrace, III secolo a.C. | Arsnoeion, Samothrace, IIIe siècle av J.-C. | Arsnoeion, Samotracia, siglo III a. C. |

**Greece, 4th century BC-2nd century AD**

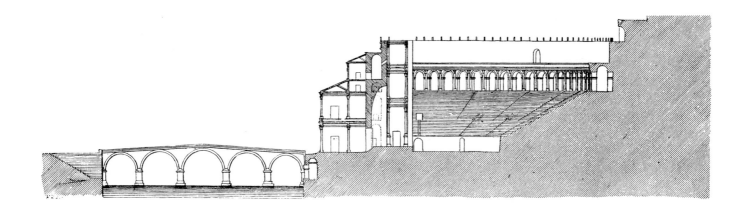

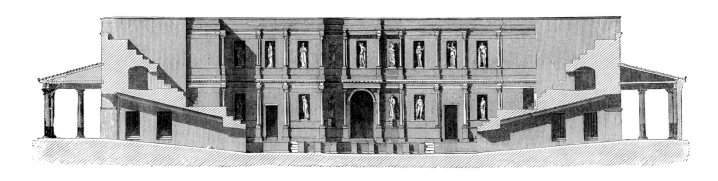

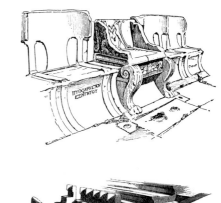

| a | Cross section of a Greek theatre | Querschnitt eines griechischen Theaters | Sezione trasversale di un teatro greco | Coupe transversale d'un théâtre grec | Sección transversal de un teatro griego |
| b | Stage of a Greek theatre | Bühne eines griechischen Theaters | Palcoscenico di un teatro greco | Scène d'un théâtre grec | Escenario de un teatro griego |
| c | Theatre of the Velia, Patara | Theater der Velia, Patara | Teatro del Velia, Patara | Théâtre de Velia, Patara | Teatro de Velia, Patara |
| d | Marble seats of the theatre of Dionysus, Athens, 5th century BC | Marmorsitze im Dionysos-Theater, Athen, 5. Jahrhundert v. Chr. | Sedili di marmo del teatro di Dionisio, Atene, v secolo a.C. | Sièges en marbre du théâtre de Dionysos, Athènes, vᵉ siècle av J.-C. | Gradas de mármol del teatro de Dioniso, en Atenas, siglo v a. C. |
| e | Seats of a theatre | Sitze in einem Theater | Sedili di un teatro | Sièges d'un théâtre | Gradas de un teatro |

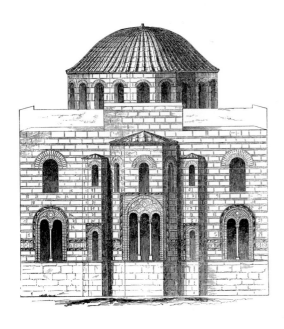

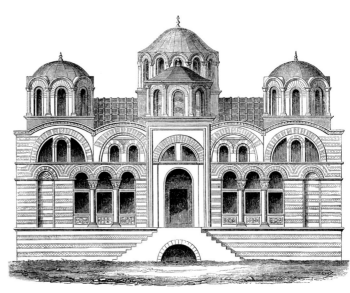

| a | Panayía Kanakaria, Lythrangome, 6th century | Panayia Kanakaria, Lythrangome, 6. Jahrhundert | Panayía Kanakaria, Lythrangome, VI secolo | Panayía Kanakaria, Lythrangome, VIe siècle | Panayía Kanakaria, Lythrangome, siglo VI |
|---|---|---|---|---|---|
| b | Ruined Byzantine church | Verfallende byzantinische Kirche | Chiesa bizantina in rovina | Ruines d'une église byzantine | Iglesia bizantina en ruinas |
| c | St. Demetrios Cathedral, Mistras | Kathedrale des St. Demetrios, Mistra | Cattedrale di S.Demetrio, Mistra | Cathédrale St.-Dimitri, Mistra | Catedral de San Demetrio, Mistra |
| d | Church of the Theotokos of the Pharos, 9th century | Kirche des Theotokos von Pharos, 9. Jahrhundert | Chiesa del Theotokos del Pharos, IX secolo | Église Théotokos du Pharos, IXe siècle | Iglesia de la Theotokos de Faros, siglo IX |

**Greece, 6-9th century**

| a | Monastery of Mount Athos, Esphigmenon, 11th century | Kloster auf dem Berg Athos, Esphigmenon, 11. Jahrhundert | Monasterio del Monte Athos, Esphigmenon, XI secolo | Monastère du mont Athos, Esphigmeou, XIe siècle | Monasterio asentado en el monte de Athos, Esphigmeou, siglo XI |
| b | Mitrópolis Áyois Elefthérios, Athens, 12th century | Mitropolis Ayois Eleftherios, Athen, 12. Jahrhundert | Mitrópolis Áyois Elefthérios, Atene, XII secolo | Mitrópolis Áyois Elefthérios, Athènes, XIIe siècle | Metrópolis Áyois Elefthérios, Atenas, siglo XII |

**Greece, 11-12th century**

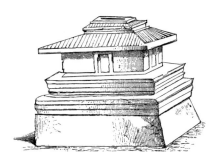

| a | Etruscan tomb, Tarquinia, 6th century BC | Etruskisches Grab, Tarquinia, 6. Jahrhundert v. Chr. | Tomba etrusca, Tarquinia, VI secolo a.C. | Tombe étrusque, Tarquinia, VIᵉ siècle av J.-C. | Tumba etrusca, Tarquinia, siglo VI a. C. |
|---|---|---|---|---|---|
| b, d | Etruscan urn, Chiusi | Etruskische Urne, Chiusi | Urna etrusca, Chiusi | Urne étrusque, Chiusi | Urna etrusca, Chiusi |
| e | Etruscan urn | Etruskische Urne | Urna etrusca | Urne étrusque | Urna etrusca |

Italy, 6th century BC

| a, c, e | Grotta Campana, Veio, 9-8th century BC | Grotta Campana in Veio, 9.-8. Jahrhundert v. Chr. | Grotta Campana, Veio, IX-VIII secolo a.C. | Grotta Campana, Veio, IX-VIII<sup>e</sup> siècle av J.-C. | Grotta Campana, Veio, siglos IX-VIII a. C. |
|---|---|---|---|---|---|
| b | Regolini-Galassi tomb, Caere, 650-625 BC | Tomba Regolini Galassi, Caere, 65-625 v. Chr. | Tomba Regolini-Galassi, Caere, 650-625 a.C. | Tombe Regolini-Galassi, Caere, 650-625 av J-C | Tumba Regolini-Galassi, Caere, 650-625 a. C. |
| d | Etruscan tomb, Volterra, 6th century BC | Etruskisches Grab in Volterra, 6. Jahrhundert v. Chr. | Tomba etrusca, Volterra, VI secolo a.C. | Tombe étrusque, Volterra, VI<sup>e</sup> siècle av J.-C. | Tumba etrusca del siglo VI a. C. hallada en Volterra |
| f-g | Etruscan tomb, Tarquinia, 6th century BC | Etruskisches Grab in Tarquinia, 6. Jahrhundert v. Chr. | Tomba etrusca, Tarquinia, VI secolo a.C. | Tombe étrusque, Tarquinia, VI<sup>e</sup> siècle av J.-C. | Tumba etrusca en Tarquinia, siglo VI a. C. |

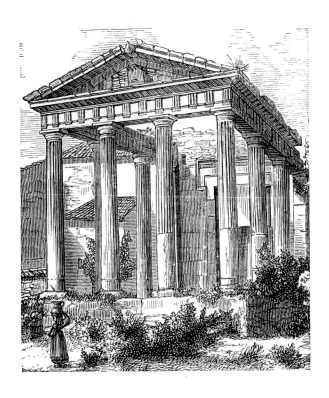

| | | | | | |
|---|---|---|---|---|---|
| **a, c** | Doric temple of Hercules, Cori, 89-80 BC | Dorischer Herkulestempel, Cori, 89-80 v. Chr. | Tempio dorico di Ercole, Cori, 89-80 a.C. | Temple dorique d'Hercule, Cori, 89-80 av J.-C. | Templo dórico a Hércules, Cori, 89-80 a. C. |
| **b** | Ionic temple of Furtuna Virilis, Rome, 40 BC | Ionischer Tempel der Fortuna Virilis, Rom, 40 v. Chr. | Tempio ionico di Furtuna Virilis, Roma, 40 a.C. | Temple ionique de Fortuna Virilis, Rome, 40 av J.-C. | Templo jónico de la Fortuna Virilis, Roma, 40 a. C. |
| **d** | Temple of Hera (so-called temple of Neptune), Peastum, 460 BC | Heratempel (sogenannter Neptuntempel), Paestum, 460 v. Chr. | Tempio di Hera (cosiddetto Tempio di Nettuno), Paestum, 460 a.C. | Temple d'Héra (ou temple de Neptune), Paestum, 460 av J.-C. | Templo de Hera (también llamado templo de Neptuno), Paestum, 460 a. C. |

**Italy, 5th-1st century** BC

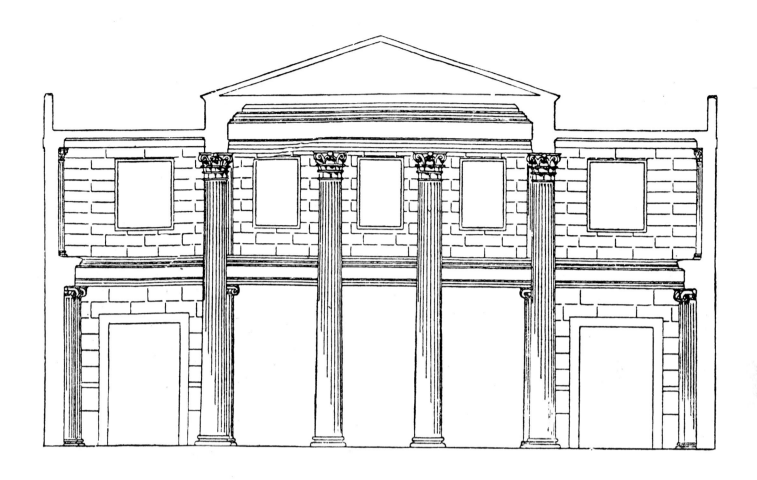

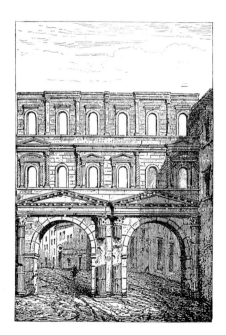

| a | Basilica, Pompeii | Basilika, Pompeji | Basilica, Pompei | Une basilique de Pompéi | Basílica en Pompeya |
| b | Vicolo del balcone pensile. Pompeii, 1st century BC | Die Gasse mit dem überhängenden Balkon in Pompeji, 1. Jahrhundert v. Chr. | Vicolo del balcone pensile. Pompei, I secolo a.C. | Vicolo del balcone pensile, Pompéi, premier siècle av J.-C. | Vicolo del balcone pensile, Pompeya, siglo I a. C. |
| c | Porta Borsari, Verona, 1st century BC | Porta Borsari, Verona, 1. Jahrhundert v. Chr. | Porta Borsari, Verona, I secolo a.C. | Porta Borsari, Vérone, premier siècle av J.-C. | Porta Borsari, Verona, siglo I a. C. |

  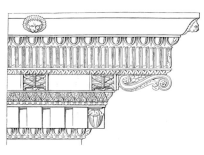

**a–i**     Roman capitals       Römische Kapitelle       Capitelli romani       Chapiteaux romains       Capiteles romanos

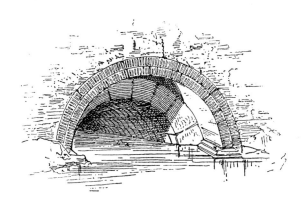

| a, c | Cloaca maxima, 6th-3rd century BC | Kloaka maxima, 6.-3. Jahrhundert v. Chr. | Cloaca maxima, VI-III secolo a.C. | Cloaca maxima, entre le VI et le IIIe siècle av J.-C. | Cloaca maxima, siglos VI-III a. C. |
|---|---|---|---|---|---|
| b | Altar, Pompeii | Altar, Pompeji | Altare, Pompei | Un autel de Pompéi | Altar, Pompeya |
| d | Well house, Tusculum | Brunnenhaus, Tusculum | Cupola di un pozzo, Tusculum | Un puits, Tusculum | Pozo en Túsculo |

| a | Frigidarium of men's baths, Pompeii | Frigidarium des Männerbades, Pompeji | Frigidario del bagno degli uomini, Pompei | Frigidarium des thermes réservés aux hommes, Pompéi | *Frigidarium* de unas termas para hombres, Pompeya |
|---|---|---|---|---|---|
| b | Caldarium of men's baths, Pompeii | Calidarium des Männerbades, Pompeji | Calidario del bagno degli uomini, Pompei | Caldarium des thermes réservés aux hommes, Pompéi | *Caldarium* de unas termas para hombres, Pompeya |
| c | Tepidarium of men's baths, Pompeii | Trepidarium des Männerbades, Pompeji | Tepidario del bagno degli uomini, Pompei | Tepidarium des thermes réservés aux hommes, Pompéi | *Tepidarium* de unas termas para hombres, Pompeya |
| d | Women's thermae, Pompeii | Frauenthermen, Pompeji | Terme delle donne, Pompei | Thermes réservés aux femmes, Pompéi | Termas para mujeres, Pompeya |

| a | Interior of a Roman house | Inneres eines römischen Hauses | Interno di una casa romana | Intérieur d'une maison romaine | Interior de una casa romana |
|---|---|---|---|---|---|
| b | Wall decoration, Pompeii, 200-80 BC | Wandschmuck, Pompeji, 200-80 v. Chr. | Decorazione di parete, Pompei, 200-80 a.C. | Murs décorés à Pompéi, 200-80 av J.-C. | Decoración de paredes típica de Pompeya, 200-80 a. C. |
| c | Room in the House of Livia, Pompeii, c. 50 BC | Raum im Haus der Livia, Pompeji, um 50 v. Chr. | Stanza nella casa di Livia, Pompei, ca. 50 a.C. | Une pièce de la villa de Livie à Pompéi, vers 50 av J.-C. | Estancia de la Casa de Livia, Pompeya, hacia el año 50 a. C. |

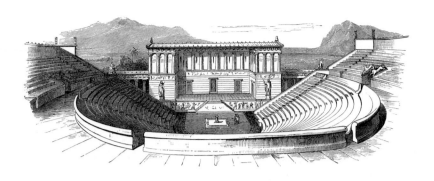

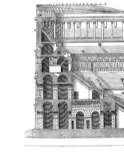

| a | Theatre of Segesta, c. 600 BC | Theater von Segesta, um 600 v. Chr. | Teatro di Se gesta, ca. 600 a.C. | Théâtre de Ségeste, vers 600 av J.-C. | Teatro de Segesta, hacia el año 600 a. C. |
| b | Theatre, Pompeii | Theater, Pompeji | Teatro, Pompei | Un théâtre de Pompéi | Teatro en Pompeya |
| c | Amphitheatre, Pompeii | Amphitheater, Pompeji | Anfiteatro, Pompei | Un amphithéâtre de Pompéi | Anfiteatro en Pompeya |
| d | Marcellus theatre, Rome, 13 BC | Marcellus-Theater, Rom, 13 v. Chr. | Teatro di Marcello, Roma, 13 a.C. | Théâtre de Marcellus, Rome, 13 av J.-C. | Teatro de Marcelo, Roma, año 13 a. C. |
| e | Vomitorium, Colosseum, Rome, 70-72, 82 AD | Vomitorium, Kolosseum, Rom, 70-72, 82 n. Chr. | Vomitorio, Colosseo, Roma, 70-72, 82 d.C. | Vomitoire, Colisée, Rome, 70-72, 82 ap J.-C. | *Vomitorium*, Coliseo, Roma, años 70-72 y 82 |
| f | Colosseum, Rome, 70-72, 82 AD | Kolosseum, Rom, 70-72, 82 n. Chr. | Colosseo, Roma, 70-72, 82 d.C. | Colisée, Rome, 70-72, 82 ap J.-C. | El Coliseo de Roma, años 70-72 y 82 |

**Italy, 6th century BC–1st century AD**

**a-b**    Colosseum, Rome, 70-72,    Kolosseum, Rom, 70-72,    Colosseo, Roma, 70-72, 82 d.C.    Le Colisée à Rome, 70-72,    El Coliseo de Roma, años
82 AD    82 n. Chr.        82 ap J.-C.    70-72 y 82.

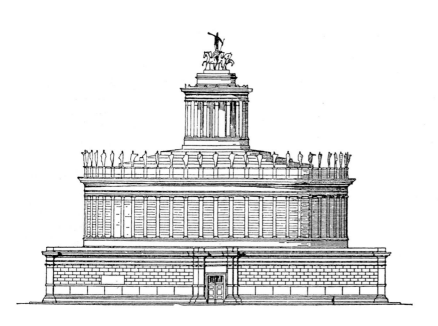

| a | Hadrian's tomb (now Castel Sant' Angelo), Rome, 135-39 AD | Mausoleum des Hadrian (die heutige Engelsburg, Kastell San Angelo) 135-39 n. Chr. | Tomba di Adriano (adesso Castel Sant'Angelo), Roma, 135-39 d.C. | Tombe d'Hadrien (aujourd'hui Castel Sant' Angelo), Rome,135-39 ap J.-C. | Tumba de Adriano (actual Castel Sant' Angelo), Roma, años 135-139 |
|---|---|---|---|---|---|
| b | Monument of Eurysaces, Rome | Grabmal des Eurysaces, Rom | Tomba di Eurisace, Roma | Tombeau d'Eurysace, Rome | Tumba de Eurisaces, Roma |
| c | Grave monument of caecilia metella, Via Appia, Rome, 1st century BC | Grabmonument der Caecilia Metella, Via Appia, Rom, 1. Jahrhundert v. Chr. | Tomba di Cecilia Metella, via Appia, Roma, I secolo a.C. | Tombe de Caecilia Metella, sur la Via Appia à Rome, premier siècle av J.-C. | Sepulcro de Caecilia Metella, en la Via Appia de Roma, siglo I a. C. |
| d | Round temple, Tivoli | Rundtempel, Tivoli | Tempio rotondo, Tivoli | Temple circulaire, Tivoli | Templo circular en Tívoli |

**Italy, 2nd-1st century** BC

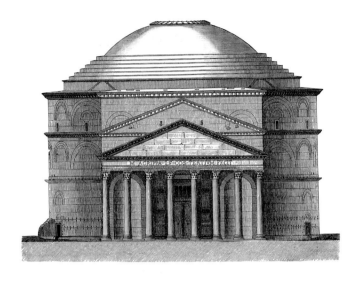

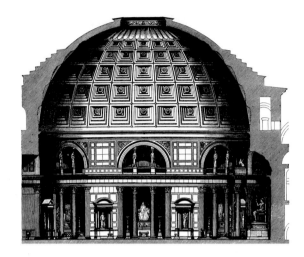

| a-b | Pantheon, Rome, 27 BC, 118-28 AD | Pantheon, Rom, 27 v. Chr., 118-28 n. Chr. | Panteon, Roma, 27 a.C., 118-28 d.C. | Le Panthéon à Rome, de 27 av J.-C. à 118-28 ap J.-C. | El Panteón de Roma en el año 27 a. C. y en los años 118-128 d. C |
|---|---|---|---|---|---|
| c | Arch of Constantine, Rome, 312 AD | Konstantinbogen, Rom, 312 n. Chr. | Arco di Costantino, Roma, 312 d.C. | L'arc de Constantin, Rome, 312 ap J.-C. | Arco de Constantino, Roma, año 312 |
| d | Arch of Titus, Rome, 81 AD | Titusbogen, Rom, 81 n. Chr. | Arco di Tito, Roma, 81 d.C. | L'arc de Titus, Rome, 81 ap J.-C. | Arco de Tito, Roma, año 81 |

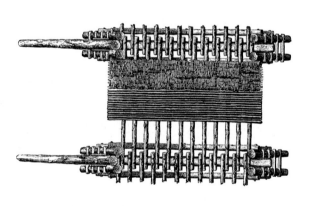

| | | | | | |
|---|---|---|---|---|---|
| a | Baths of Caracalla, Rome, 206-16 AD | Caracalla-Thermen, Rom, 206-16 n. Chr. | Terme di Caracalla, Roma, 206-16 d.C. | Thermes de Caracalla, Rome, 206-16 ap J.-C. | Termas de Caracalla, Roma, años 206-216 |
| b-c | Ceasar's timber crossing of the Rhine river, 1st century BC | Caesars hölzerne Brücke über den Rhein, 1. Jahrhundert v. Chr. | Attraversamento di legno costruito da Cesare sul fiume Reno, I secolo a.C. | Pont en bois bâti sur le Rhin par César au premier siècle av J.-C. | Puente de madera sobre el río Rin destinado al paso del César, siglo I a. C. |
| d | Basilica of Maxentius (also called Basilica of Constantine), Rome, 313 AD | Maxentius-Basilika (auch als Konstantinbasilika bezeichnet), Rom, 313 n. Chr. | Basilica di Massenzio (anche detta Basilica di Costantino), Roma, 313 d.C. | Basilique de Maxence (ou Basilique de Constantin), Rome, 313 ap J.-C. | Basílica de Majencio (también llamada Basílica de Constantino), Roma, año 313 |

**Italy, 1st century BC-4th century AD**

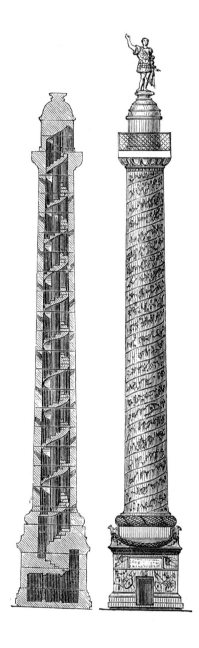

| a | Trajan's column, Rome, 106-113 AD | Trajansäule, Rom, 106-113 n. Chr. | Colonna di Traiano, Roma, 106-113 d.C. | Colonne de Trajan, Rome, 106-113 ap J.-C. | Columna Trajana, Roma, años 106-113 |
|---|---|---|---|---|---|
| b | Forum Trajanum with Trajan's column (106-113 AD) and Sta. Maria di Loreto (1507-1580), Rome | Forum Trajanum mit Trajansäule (106-113 n. Chr.) und Santa Maria di Loreto (1507-1580), Rom | Foro Traiano con colonna di Traiano (106-113 d.C.) e Santa Maria di Loreto (1507-1580), Roma | Le Forum de Trajan avec la colonne de Trajan (106-113 ap J.-C.) et Sta. Maria di Loreto (1507-1580), Rome | El Foro de Trajano alberga la columna Trajana (106-113) y Sta. Maria di Loreto (1507-1580), Roma |

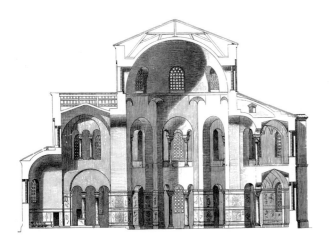

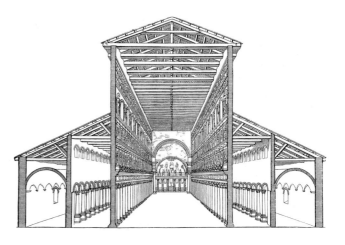

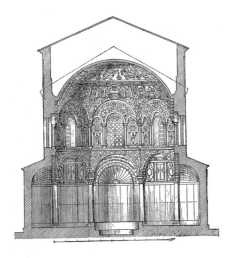

| a | S. Vitale, Ravenna, 547 | San Vitale, Ravenna, 547 | S. Vitale, Ravenna, 547 | San Vitale, Ravenne, 547 | San Vitale, Ravenna, 547 |
|---|---|---|---|---|---|
| b | Basilica of old St. Peter's, 330 | Die Basilika Alt-Sankt Peter, 330 | Basilica del vecchio San Pietro, 330 | Basilique Saint-Pierre, 330 | Basílica de San Pedro, 330 |
| c | Baptisterium, Ravenna | Baptisterium, Ravenna | Battistero, Ravenna | Baptistère, Ravenne | El Baptisterio de Ravenna |
| d | S. Clemente, Rome, c. 850 | San Clemente, Rom, um 850 | S. Clemente, Roma, ca. 850 | San Clemente, Rome, vers 850 | San Clemente, Roma, hacia el año 850 |
| e | Romanesque church | Romanische Kirche | Chiesa romanica | Église romane | Iglesia románica |

**Italy, 4-9th century**                    **Italy, c. 1900**

S. Paolo fuori le Mure, Rome,
380

San Paolo fuori le Mure,
Rom, 380

S. Paolo fuori le Mura,
Roma, 380

San Paolo fuori le Mure,
Rome, 380

Basílica de San Pablo
extramuros, Roma, 380

Italy, 4th century

| a | Cathedral of Bitonto, 1175-1200 | Kathedrale von Bitonto, 1175-1200 | Cattedrale di Bitonto, 1175-1200 | Cathédrale de Bitonto, 1175-1200 | Catedral de Bitonto, 1175-1200 |
|---|---|---|---|---|---|
| b | San Secondo, Asti, 13th century | San Secondo, Asti, 13. Jahrhundert | San Secondo, Asti, XIII secolo | San Secondo, Asti, XIIIe siècle | Iglesia de San Secondo, Asti, siglo XIII |
| c | Romanesque church | Romanische Kirche | Chiesa romanica | Église romane | Iglesia románica |

**Italy, 12-13th century**

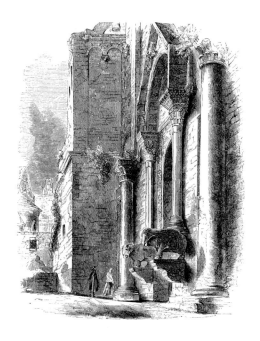

| **a-e** | Details of Romanesque churches | Ausschnitte an romanischen Kirchen | Particolari di chiese romaniche | Divers détails d'églises romanes | Detalles de iglesias románicas |

| a | Campanile, Piazza Scaligeri, Verona | Campanile, Piazza Scaligeri, Verona | Campanile, Piazza Scaligeri, Verona | Un campanile sur la place Scaligeri à Vérone | Campanario en la Piazza Scaligeri de Verona |
|---|---|---|---|---|---|
| b | Tower, S. Maria in Cosmedin, Rome | Turm, Santa Maria in Cosmedin, Rom | Torre, S. Maria in Cosmedin, Roma | Tour de S. Maria in Cosmedin, Rome | Torreón de Santa María in Cosmedin, Roma |
| c | Campanile, S. Andrea, Mantua, 15th century | Campanile, San Andrea, Mantua, 15. Jahrhundert | Campanile, S. Andrea, Mantova, xv secolo | Campanile, S. Andrea, Mantoue, xvᵉ siècle | Campanario de la iglesia de San Andrés de Mantua, siglo xv |
| d-e | Window, Verona | Fenster, Verona | Finestra, Verona | Une fenêtre de Vérone | Ventana típica de Verona |
| f | Window, Cathedral, Monza, 1390-96 | Fenster, Kathedrale, Monza, 1390-96 | Finestra, Cattedrale, Monza, 1390-96 | Une fenêtre de la cathédrale de Monza, 1390-1396 | Ventana de la catedral de Monza, 1390-1396 |
| g | Window, Tirolo | Fenster, Tirolo | Finestra, Tirolo | Une fenêtre de Tirolo | Ventana tirolesa |

**Italy, 14-15th century**

| a | Palazzo del Pretorio, Pienza | Palazzo del Pretorio, Pienza | Palazzo del Pretorio, Pienza | Palazzo del Pretorio, Pienza | Palazzo del Pretorio, Pienza |
|---|---|---|---|---|---|
| b | Town Hall, Montepulciano | Rathaus, Montepulciano | Comune, Montepulciano | Mairie de Montepulciano | Ayuntamiento de Montepulciano |
| c | Gateway Palazzo della Ragione, Mantua, 13-15th century | Tor am Palazzo della Ragione, Mantua, 13.-15. Jahrhundert | Ingresso del Palazzo della Regione, Mantova, xiii-xv secolo | Entrée du Palazzo della Ragione, Mantoue, xiii-xv<sup>e</sup> siècle | Acceso al Palazzo della Ragione, Mantua, siglos xiii-xv |
| d | Palace of Jurisconsults, Cremona | Palast der Rechtsgelehrte, Cremona | Palazzo del Giureconsulto, Cremona | Palais des jurisconsultes, Cremona | Palacio de los jurisconsultos, Cremona |

**Italy, 13-15th century**

| a | Piazza | Piazza | Piazza | Piazza | Piazza |
|---|--------|--------|--------|--------|--------|
| b | The Broletto, Como, 1215 (rebuilt 1435) | Der Broletto, Como, 1215 (1435 wieder aufgebaut) | Il Broletto, Como, 1215 (ricostruito nel 1435) | Le Broletto, Côme, 1215 (reconstruit en 1435) | El Broletto, Como, 1215 (reconstruido en 1435) |

**Italy, 13-15th century**

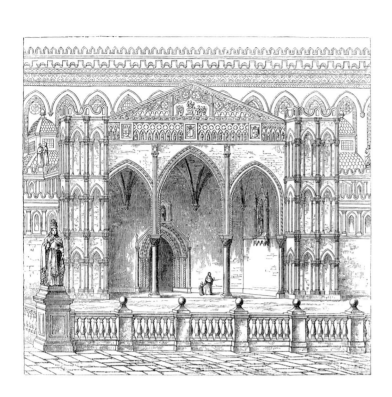

| a | Cathedral of Palermo, 1185, 14-15th century | Kathedrale von Palermo, 1185, 14.-15. Jahrhundert | Cattedrale di Palermo, 1185, XIV-XV secolo | Cathédrale de Palerme, 1185, XIV-XVᵉ siècle | Catedral de Palermo, 1185, siglos XIV-XV |
| b | Doges' Palace, Venice, 1424 | Palast des Doge, Venedig, 1424 | Palazzo dei Dogi, Venezia, 1424 | Palais des Doges, Venise, 1424 | El palacio de Doges, Venecia, 1424 |
| c | Piazza S. Marco, Venice, | Piazza San Marco, Venedig | Piazza S. Marco, Venezia | Place St Marc, Venise, | Plaza de San Marcos, Venecia |
| d | Cà d'Oro, Venice | Cà d'Oro, Venedig | Palazzo Cà d'Oro, Venezia | Le palais Cà d'Oro, Venise | El palacio Cà d'Oro, Venecia |

**Italy, 12-15th century**   Europe   45

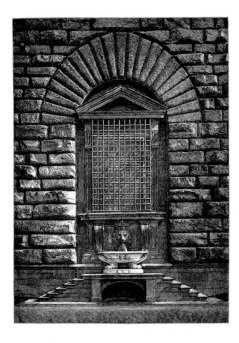
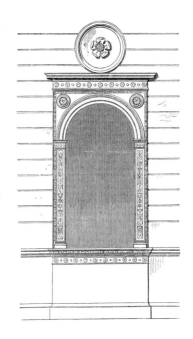

| | | | | | |
|---|---|---|---|---|---|
| **a** | Doorway, Palazzo Pitti, Florence, 1444-59, by Michelangelo | Eingang am Palazzo Pitti, Florenz, 1444-59, von Michelangelo | Porta, Palazzo Pitti, Firenze, 1444-59, Michelangelo | Entrée du palais Pitti de Florence, conçu par Michel-Ange, 1444-59 | Puerta del Palacio Pitti, Florencia, 1444-1459, obra de Miguel Ángel |
| **b** | Window, Cancelleria, Rome, 1486-98 | Fenster, Cancelleria, Rom, 1486 – 98 | Finestra, Cancelleria, Roma, 1486-98 | Fenêtre du Palazzo de la Cancelleria à Rome, 1486-98 | Ventana del Palacio de la Cancelleria, Roma, 1486-1498 |
| **c** | Renaissance door | Renaissancetür | Porta rinascimentale | Porte de style Renaissance | Puerta renacentista |
| **d** | Wall decoration, S. Croce, Florence, 1294-1442, by Arnolfo di Gambia | Wandschmuck, San Croce, Florenz, 1294-1442, von Arnolfo di Gambia | Decorazione di parete, S. Croce, Firenze, 1294-1442, Arnolfo di Gambia | Mur décoré par Arnolfo di Gambia sur la place Santa Croce à Florence, 1294-1442 | Decoración de paredes de la Santa Croce, Florencia, 1294-1442, por Arnolfo di Gambia |
| **e** | Portal, Dome, Como, 15th century | Portal am Dom in Como, 15. Jahrhundert | Portale, Duomo, Como, XV secolo | Portail, Côme, XVᵉ siècle | Portal, Como, siglo XV |
| **f** | Portal, S. Maria Novella, Florence, 1278-1350, by S. and R. Leon Battista Alberti | Portal der Santa Maria Novella, Florenz, 1278-1350, von S. und R. Leon Battista Alberti | Portale, S. Maria Novella, Firenze, 1278-1350, Leon Battista Alberti | Portail conçu par S. et R. Leon Battista Alberti, S. Maria Novella, Florence, 1278-1350 | Portal de Santa María Novella, Florencia, 1278-1350, por Leon Battista Alberti |

**Italy, 13-15th century**

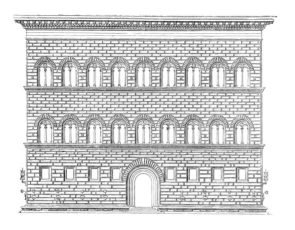

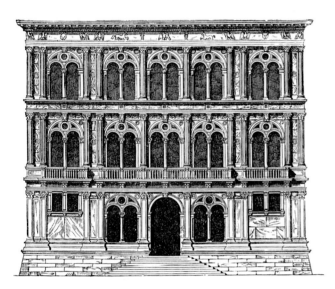

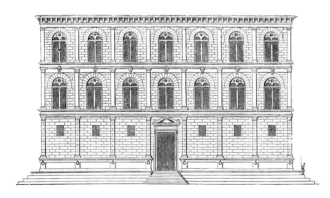
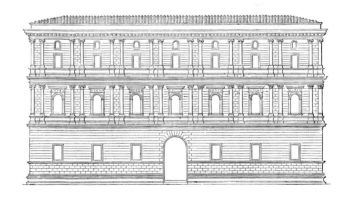

| a, d | Palazzo Strozzi, Venice, 1489, by Benedetto da Maiano and Il Cronaca | Palazzo Strozzi, Venedig, 1489, von Benedetto da Maiano und Il Cronaca | Palazzo Strozzi, Venezia, 1489, Benedetto da Maiano e Il Cronaca | Palais Strozzi conçu par Benedetto da Maiano et Il Cronaca, Venise, 1489 | Palacio Strozzi, Venecia, 1489, obra de Benedetto da Maiano e Il Cronaca |
| b | Villa Farnesina, Rome, 1509-21, by Baldassare Peruzzi | Villa Farnesina, Rom, 1509-21, von Baldassare Peruzzi | Villa Farnesina, Roma, 1509-21, Baldassarre Peruzzi | Villa Farnesina conçue par Baldassare Peruzzi, Rome, 1509-21 | Villa Farnesina, Roma, 1509-1521, por Baldassare Peruzzi |
| c | Palazzo Vedramin-Calergi, Venice, 1500-09, by Coducci | Palazzo Vedramin-Calergi, Venedig, 1500-09, von Coducci | Palazzo Vedramin-Calergi, Venezia, 1500-09, Coducci | Palais Vendramin-Calergi conçu par Coducci, Venise, 1500-09 | Palacio Vendramin-Calergi, Venecia, 1500-1509, por Coducci |
| e | Palazzo Piccolomini, Pienza | Palazzo Piccolomini, Pienza | Palazzo Piccolomini, Pienza | Palais Piccolomini, Pienza | Palacio Piccolomini, Pienza |
| f | Palazzo Giraud, Rome | Palazzo Giraud, Rom | Palazzo Giraud, Roma | Palais Giraud, Rome | Palacio Giraud, Roma |

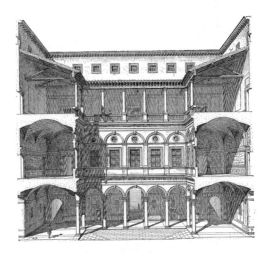

| | | | | | |
|---|---|---|---|---|---|
| a | Palazzo Rucellai, Florence, 1445-70, by Leon Battista Alberti | Palazzo Rucellai, Florenz, 1445-70, von Leon Battista Alberti | Palazzo Rucellai, Firenze, 1445-70, Leon Battista Alberti | Palais Rucellai, Florence, 1445-70, oeuvre de Leon Battista Alberti | Palacio Rucellai, Florencia 1445-1470, por Leon Battista Alberti |
| b | Palazzo Guadagni, Florence, 15th century | Palazzo Guadagni, Florenz, 15. Jahrhundert | Palazzo Guadagni, Firenze, xv secolo | Palais Guadagni, Florence, xvᵉ siècle | Palacio Guadagni, Florencia, siglo xv |
| c-d | Palazzo Strozzi, Florence, 1489, Benedetto da Maiano and Il Cronaca | Palazzo Strozzi, Florenz, 1489, Benedetto da Maiano und Il Cronaca | Palazzo Strozzi, Firenze, 1489, Benedetto da Maiano e Il Cronaca | Palais Strozzi, Florence, 1489, Benedetto da Maiano et Il Cronaca | Palacio Strozzi, Florencia, 1489, obra de Benedetto da Maiano e Il Cronaca |
| e | Loggetta near the Campanile, Venice, 1540, by Sansovino | Loggetta beim Campanile, Venedig, 1540, von Sansovino | Loggetta vicino al Campanile, Venezia, 1540, Sansovino | La loggetta du Campanile à Venise, 1540, oeuvre de Sansovino | Galería en las proximidades del Campanario de Venecia, 1540, por Sansovino |
| f | Stairs, Palazzo Balbi, Genova, 16th century | Treppenaufgang, Palazzo Balbi, Genua, 16. Jahrhundert | Scale, Palazzo Balbi, Genova, xvi secolo | Escaliers du Palais Balbi, Gênes, xviᵉ siècle | Escalinata del Palacio Balbi, Génova, siglo xvi |

**Italy, 15th-16th century**

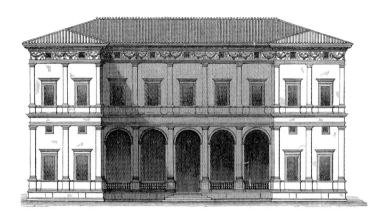

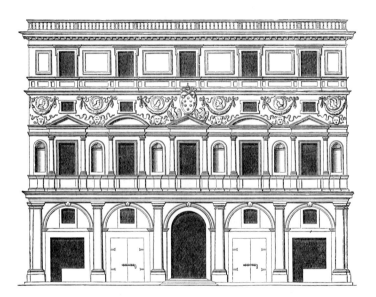

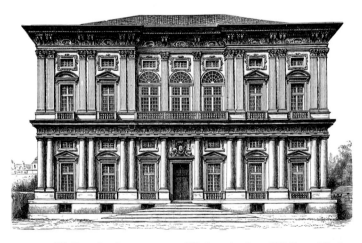

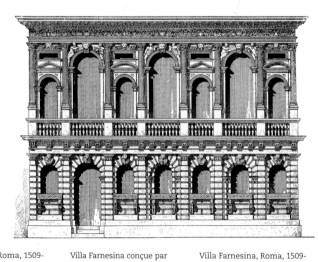

| a | Villa Farnesina, Rome, 1509-21, by Baldassare Perruzi | Villa Farnesina, Rom, 1509-21, von Baldassare Perruzi | Villa Farnesina, Roma, 1509-21, Baldassarre Peruzzi | Villa Farnesina conçue par Baldassare Perruzi, Rome, 1509-21 | Villa Farnesina, Roma, 1509-1521, por Baldassare Perruzi |
| b | Sgraffito façade, Florence | Sgraffito-Fassade, Florenz | Facciata a graffito, Firenze | Façade avec graffiti, Florence | Esgrafiado de una fachada de Florencia |
| c | Palazzo branconio dall' Aquila, Rome, by Raphael | Palazzo Branconio dall'Aquila, Rom, von Raphael | Palazzo Branconio dell'Aquila, Roma, Raffaello | Palais Branconio dell' Aquila, Rome, oeuvre de Raphaël | Palazzo branconio dall' Aquila, Roma, obra de Rafael |
| d | Villa Grassi, Campierdarena | Villa Grassi, Campierdarena | Villa Grassi, Campierdarena | Villa Grassi, Campierdarena | Villa Grassi, Campierdarena |
| e | Palazzo Bevilacqua, Verona | e Palazzo Bevilacqua, Verona | Palazzo Bevilacqua, Verona | Palais Bevilacqua, Vérone | Palacio Bevilacqua, Verona |

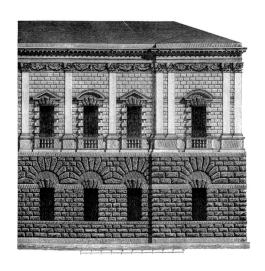
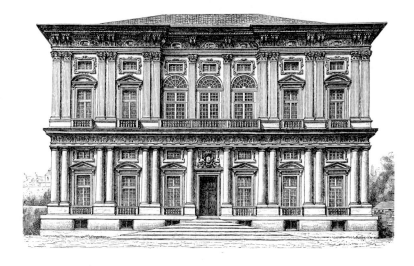

a-d    Palazzo          Palazzo          Palazzo          Palais          Palacio

          **Italy, 15-16th century**

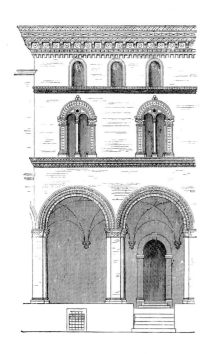

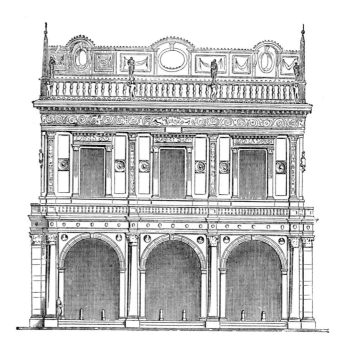

| a | Palazzo Fava, Bologna | Palazzo Fava, Bologna | Palazzo Fava, Bologna | Palais Fava, Bologne | Palacio Fava, Boloña |
|---|---|---|---|---|---|
| b | Palazzo Communale, Brescia, 1508 | Palazzo Communale, Brescia, 1508 | Palazzo Comunale, Brescia, 1508 | Palais Communal, Brescia, 1508 | Palacio Comunal, Brescia, 1508 |
| c | Library of S. Marco, Venice, 1536 | Bibliothek von San Marco, Venedig, 1536 | Biblioteca di S. Marco, Venezia, 1536 | Bibliothèque Saint-Marc, Venise, 1536 | Biblioteca de San Marcos, Venecia, 1536 |
| d | Spedale maggiore, Milano | Spedale Maggiore, Mailand | Ospedale maggiore, Milano | Hôpital majeur de Milan | Hospital Mayor de Milán |

a-b    Sta Maria delle Grazie, Arezzo     Santa Maria delle Grazie, Arezzo     Santa Maria delle Grazie, Arezzo     Sta Maria delle Grazie, Arezzo     Santa María de las Gracias, Arezzo

| a | Loggia of Palazzo Piccolomini, Pienza | Loggia des Palazzo Piccolomini, Pienza | Loggia di Palazzo Piccolomini, Pienza | Loggia du Palais Piccolomini, Pienza | Claustro del Palacio Piccolomini, Pienza |
|---|---|---|---|---|---|
| b | Courtyard of the monastery of Certosa | Innenhof des Klosters von Certosa | Cortile del monastero di Certosa | Cour du monastère de la Chartreuse | Patio del monasterio de Certosa |

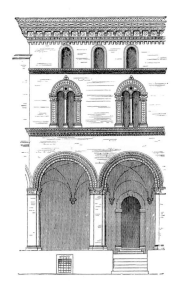

| a | Palazzo Ducale, Pesaro, 1450-1510 | Palazzo Ducale, Pesaro, 1450-1510 | Palazzo Ducale, Pesaro, 1450-1510 | Palais Ducale, Pesaro, 1450-1510 | Palacio Ducal, Pesaro, 1450-1510 |
|---|---|---|---|---|---|
| b | Palazzo Fava, Bologna | Palazzo Fava, Bologna | Palazzo Fava, Bologna | Palais Fava, Bologne | Palacio Fava, Boloña |
| c | Loggia del Consiglio, Verona, 1493, by Fra Giocondo | Loggia del Consiglio, Verona, 1493, von Fra Giocondo | Loggia del Consiglio, Verona, 1493, Fra' Giocondo | Loggia del Consiglio conçue par Fra Giocondo, Vérone, 1493 | Claustro del Consiglio, Verona, 1493, por Fra Giocondo |
| d | Court of the Palazzo Ducale, Urbino, 15th century | Hof des Palazzo Ducale, Urbino, 15. Jahrhundert | Cortile del Palazzo Ducale, Urbino, xv secolo | Cour du palais Ducale, Urbino, xvᵉ siècle | Claustro del palacio Ducal de Urbino, siglo xv |

**Italy, 15-16th century**

| a | Villa Rotonda, Vicenza, 1550-51, by Andrea Palladio | Villa Rotonda, Vicenza, 1550-51, von Andrea Palladio | Villa Rotonda, Vicenza, 1550-51, Andrea Palladio | Villa la Rotonda, Vicence, 1550-51, par Andrea Palladio | Villa Rotonda, Vicenza, 1550-1551, por Andrea Palladio |
|---|---|---|---|---|---|
| b | Basilica, Vicenza, 1549-84, by Andrea Palladio | Basilika, Vicenza, 1549-84, von Andrea Palladio | Basilica, Vicenza, 1549-84, Andrea Palladio | Basilique de Vicence conçue par Andrea Palladio, 1549-84 | Basílica de Vicenza, 1549-1584, obra de Andrea Palladio |
| c | Stage of the Teatro Olimpico, Vicenza, 1580-84, by Andrea Palladio | Bühne des Teatro Olimpico, Vicenza, 1580-84, von Andrea Palladio | Palcoscenico del Teatro Olimpico, Vicenza, 1580-84, Andrea Palladio | Scène du Théâtre Olympique de Vicence conçu par Andrea Palladio, 1580-84 | Escenario del Teatro Olímpico de Vicenza, 1580-1584, obra de Andrea Palladio |

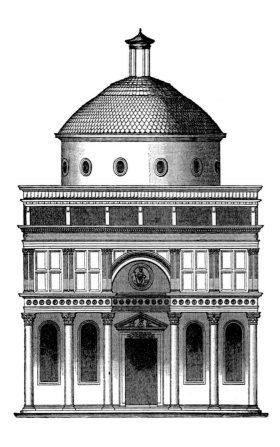

| | | | | |
|---|---|---|---|---|
| a | Pazzi Chapel, Florence, by Brunelleschi | Pazzi-Kapelle in Florenz, von Brunelleschi | Cappella Pazzi, Firenze, Brunelleschi | La chapelle des Pazzi conçue par Brunelleschi, Florence | La Capilla Pazzi, Florencia, por Brunelleschi |
| b | S. Maria della Croce, near Crema, c. 1490, by Giovanni Battaggio | Santa Maria della Croce bei Crema, um 1490, von Giovanni Battaggio | S. Maria della Croce, vicino a Crema, ca. 1490, Giovanni Battaglio | S. Maria della Croce, près de Crema, bâtie par Giovanni Battaggio vers 1490 | S. Maria della Croce, construida en las proximidades de Crema, por Giovanni Battaggio hacia el año 1490, |
| c | Madonna di S. Biagio, Montepulciano, by Antonio da Sangallo the Elder | Madonna di San Biagio, Montepulciano, von Antonio da Sangallo dem Älteren | Madonna di S. Biagio, Montepulciano, Antonio da Sangallo il Vecchio | Madonna di S. Biagio, Montepulciano, oeuvre d'Antonio da Sangallo le Vieux | Madonna di S. Biagio, Montepulciano, por Antonio da Sangallo el Viejo |
| d | S. Maria di Carignano, Genoa, 16th century | Santa Maria di Carignano in Genua, 16. Jahrhundert | S. Maria di Carignano, Genova, XVI secolo | S. Maria di Carignano, Gênes, XVIᵉ siècle | S. Maria di Carignano, Génova, siglo XVI |
| e | Il Redentore, Venice, 1576-92, by Palladio | Il Redentore in Venedig, 1576-92, von Palladio | Il Redentore, Venezia, 1576-92, Palladio | Il Redentore, Venise, 1576-92, oeuvre de Palladio | Iglesia del Redentor, Venecia, 1576-1592, obra de Palladio |

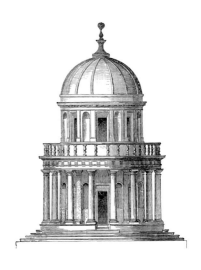

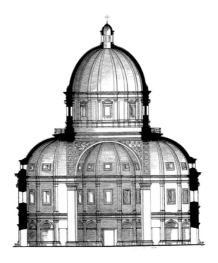

| a | Dom, Florence, 1295, 1420-46 by Filippo Brunelleschi | Dom zu Florenz, 1295, 1420-46 von Filippo Brunelleschi | Duomo, Firenze, 1295, 1420-46 Filippo Brunelleschi | Coupole conçue par Filippo Brunelleschi à Florence, 1295, 1420-46 | Cúpula de Filippo Brunelleschi, en Florencia (1295, 1420-1446) |
|---|---|---|---|---|---|
| b | Tempietto in the courtyard of S. Pietro in Montorio, Rome, 1502, by Donato Bramante | Tempietto im Innenhof von San Pietro in Montorio, Rom, 1502, von Donate Bramante | Tempietto nel cortile di S. Pietro in Montorio, Roma, 1502, Donato Bramante | Tempietto de S. Pietro in Montorio, Rome, élevé en 1502 par Donato Bramante | Templete en el claustro de San Pietro in Montorio, Roma, 1502, por Donato Bramante |
| c | Sta. Maria della Consolazione, Todi, 1508-24 | Santa Maria della Consolazione, Todi, 1508-24 | Santa Maria della Consolazione, Todi, 1508-24 | Église Sta. Maria della Consolazione, Todi, 1508-24 | Sta. Maria della Consolazione, Todi, 1508-1524 |
| d | Sta. Maria della Carceri, Prato, 1485-93, by Giuliano da Sangallo | Santa Maria della Carceri, Prato, 1485-93, von Guiliano da Sangallo | Santa Maria delle Carceri, Prato, 1485-93, Giuliano Sangallo | Église Sta. Maria delle Carceri conçue par Giuliano da Sangallo, Prato, 1485-93 | Sta. Maria delle Carceri, Prato, 1485-1493, por Giuliano da Sangallo |

**Italy, 13-16th century**

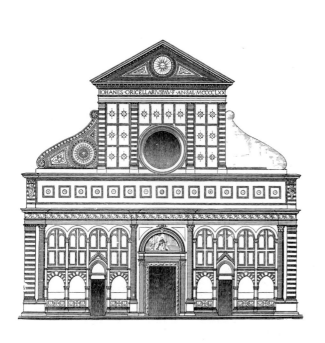

| | | | | |
|---|---|---|---|---|
| a | Sta. Maria Novella, Florence, 1456-70, by Leon Battista Alberti | Santa Maria Novella, Florenz, 1456-70, von Leon Battista Alberti | Santa Maria Novella, Firenze, 1456-70, Leon Battista Alberti | Sta. Maria Novella, Florence, 1456-70, élevée par Leon Battista Alberti | Santa María Novella, Florencia, 1456-1470, obra de Leon Battista Alberti |
| b | Chiesa Nuova, Rome, 1599-1605, by Martino Lunghi the Elder | Chiesa Nuova in Rom, 1599-1605, von Martino Lunghi dem Älteren | Chiesa Nuova, Roma, 1599-1605, Martino Lunghi il Vecchio | L'église Chiesa Nuova à Rome, élevée par Martino Lunghi le Vieux, 1599-1605 | Chiesa Nuova, Roma, 1599-1605, por Martino Longhi el Viejo |
| c | Church, Certosa, 1419 | Kirche in Certosa, 1419 | Chiesa, Certosa, 1419 | Une église de la Chartreuse, 1419 | Iglesia en Certosa, 1419 |
| d | S. Maria dei Miracoli, Venice, 1481-89 | Santa Maria dei Miracoli, Venedig, 1481-89 | Santa Maria dei Miracoli, Venezia, 1481-89 | Église S. Maria dei Miracoli, Venise, 1481-89 | Iglesia S. Maria dei Miracoli, Venecia, 1481-1489 |

**Italy, 15-17th century**

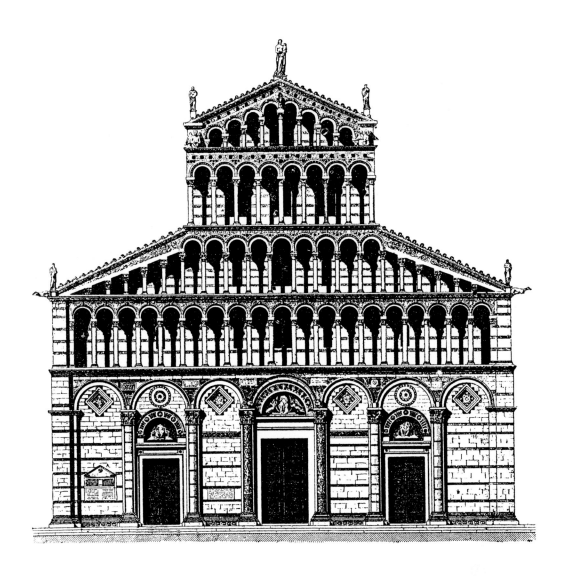

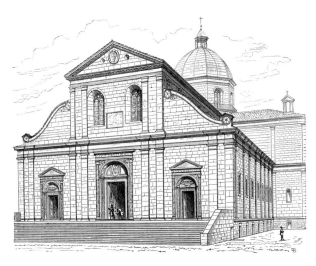

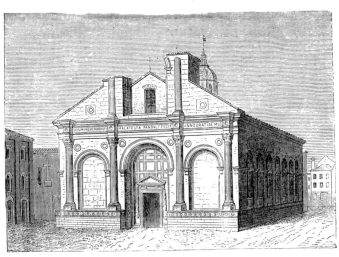

| a | Cathedral of Pisa, 1063 | Dom von Pisa, 1063 | Cattedrale di Pisa, 1063 | Cathédrale de Pise, 1063 | Catedral de Pisa, 1063 |
|---|---|---|---|---|---|
| b | Cathedral of Turin, 1492-98, by San Giovanni Battista | Turiner Dom, 1492-98, von San Giovanni Battista | Cattedrale di Torino, 1492-98, San Giovanni Battista | Cathédrale de Turin, 1492-98, érigée par San Giovanni Battista | Catedral of Turín, 1492-1498, por San Giovanni Battista |
| c | S. Francesco, Rimini, 15th century, by Leon Battista Alberti | San Francesco in Rimini, 15. Jahrhundert, von Leon Battista Alberti | San Francesco, Rimini, xv secolo, Leon Battista Alberti | Église S. Francesco, Rimini, élevée par Leon Battista Alberti au xvᵉ siècle | S. Francesco, Rimini, siglo xv, por Leon Battista Alberti |

**Italy, 11-15th century**

a-b | St. Peter's, Rome, 1506-1615, by a.o. Donato Bramante, Raphael, Antonio da Sangallo the Elder, Michelangelo | Petersdom in Rom, 1506-1615, u.a. von Donato Bramante, Raphael, Antonio da Sangallo dem Älteren, Michelangelo | San Pietro, Roma, 1506-1615, Donato Bramante, Raffaello, Antonio da Sangallo il Vecchio, Michelangelo | St-Pierre de Rome, 1506-1615, par Donato Bramante, Raphaël, Antonio da Sangallo le Vieux et Michel-Ange | San Pedro de Roma, 1506-1615, por Donato Bramante, Rafael, Antonio da Sangallo el Viejo y Miguel Ángel

Italy, 15-17th century

Galery in the Vatican, Rome    Galerie im Vatikan, Rom    Galleria nel Vaticano, Roma    Une galerie du Vatican, Rome    Galería del Vaticano, en Roma

Street in Arezzo          Straße in Arezzo          Strada di Arezzo          Une rue d'Arezzo          Una calle de Arezzo

Italy, c. 1900

Street in Cortona          Straße in Cortona          Strada di Cortona          Une rue de Cortona          Una calle de Cortona

Italy, c. 1900          Europe   63

Palazzo, Cortona        Palazzo, Cortona        Palazzo, Cortona        Palais, Cortona        Palacio de Cortona

Italy, c. 1900

Street in Arezzo          Straße in Arezzo          Strada di Arezzo          Une rue d'Arezzo          Una calle de Arezzo

Italy, c. 1900          Europe  65

**Spain, Stone Age**

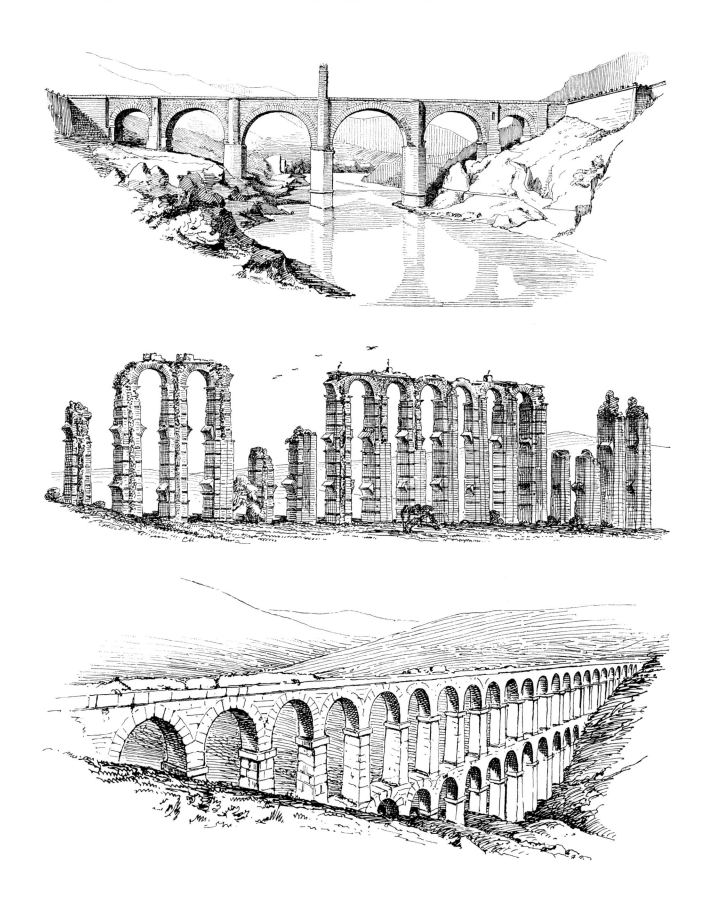

| a | Roman bridge, Alcántara, 105-6 AD | Römische Brücke in Alcantara, 105-6 n. Chr. | Ponte romano, Alcántara, 105-6 d.C. | Pont romain, Alcántara, 105-6 ap J.-C. | Puente romano de Alcántara, construido entre 105 y 106 |
|---|---|---|---|---|---|
| b | Roman aqueduct, Mérida reservoir, 25 BC | Römischer Aquädukt am Stausee von Mérida, 25 v. Chr. | Acquedotto romano, bacino di Mérida, 25 a.C. | Aqueduc romain, réservoir de Mérida, 25 av J.-C. | Acueducto romano de Mérida, año 25 a. C. |
| c | Aqueduct, Tarragona | Aquädukt, Tarragona | Acquedotto, Tarragona | Aqueduc, Tarragone | Acueducto de Tarragona |

**Spain, 1st century BC-2nd century AD**

West-front of Burgos
Cathedral, 1567

Westfassade der Kathedrale
von Burgos, 1567

Lato anteriore occidentale
della Cattedrale di Burgos,
1567

Façade ouest de la cathédrale
de Burgos, 1567

Fachada occidental de la
catedral de Burgos, 1567

**Spain, 16th century**

| a, c | Cathedral of Sta. Maria (1402-1506) and the Giralda (1180-1200), Seville | Kathedrale Santa Maria (1402-1506) und Giralda (1180-1200) in Sevilla | Cattedrale di Santa Maria (1402-1506) e la Giralda (1180-1200), Siviglia | Cathédrale de Sta. Maria (1402-1506) et la Giralda (1180-1200), Séville | La catedral de Santa María (1402-1506) y la Giralda (1180-1200), Sevilla |
|---|---|---|---|---|---|
| b | Tower | Turm | Torre | Tour | Torre |
| d | S. Pablo, Saragossa, 14th century | San Pablo in Zaragoza, 14. Jahrhundert | S. Pablo, Saragozza, XIV secolo | S. Pablo, Saragosse, XIVe siècle | Iglesia de San Pablo, Zaragoza siglo XIV |

**Spain, 12-16th century**

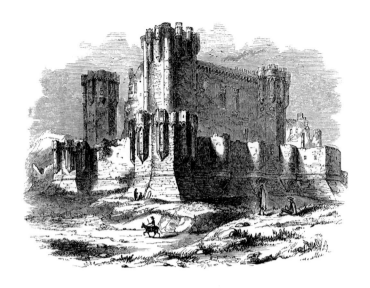

| a | Cathedral of Coimbra, 1180 | Kathedrale von Coimbra, 1180 | Cattedrale di Coimbra, 1180 | Cathédrale de Coimbra, 1180 | Catedral de Coimbra, 1180 |
| b | Cathedral of Jaen, 1532, by Pedro de Valdevira | Kathedrale von Jaen, 1532, von Pedro de Valdevira | Cattedrale di Jaen, 1532, Pedro de Valdevira | Cathédrale de Jaen, 1532, élevée par Pedro de Valdevira | Catedral de Jaen, año 1532 por Pedro de Valdevira |
| c | Cathedral of Santiago de Compostela, 1680 | Kathedrale von Santiago de Compostela, 1680 | Cattedrale di Santiago de Compostela, 1680 | Cathédrale de St-Jacques de Compostelle, 1680 | Catedral de Santiago de Compostela, 1680 |

Alhambra, Granada,
1238-1338

Alhambra, Granada,
1238-1338

Alhambra, Granada,
1238-1338

L'Alhambra, Grenade,
1238-1338

La Alhambra de Granada,
1238-1338

Spain, 13-14th century

Alhambra, Granada,
1238-1338

Alhambra, Granada,
1238-1338

Alhambra, Granada,
1238-1338

L'Alhambra, Grenade,
1238-1338

La Alhambra de Granada,
1238-1338

Spain, 13-14th century        Europe   73

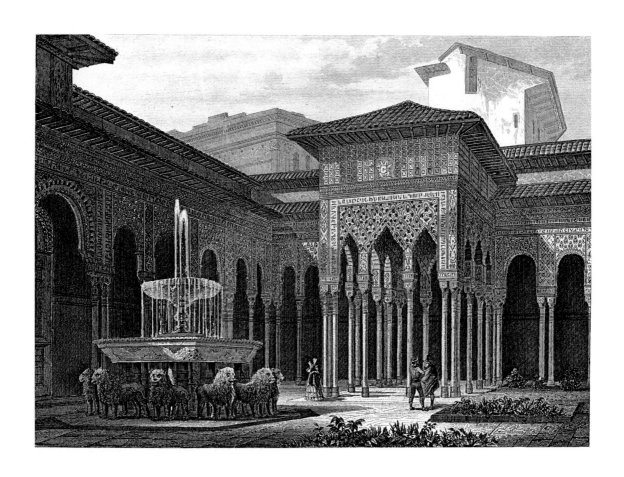

| a-b | Alhambra, Granada,<br>1238-1338 | Alhambra, Granada,<br>1238-1338 | Alhambra, Granada,<br>1238-1338 | L'Alhambra, Grenade,<br>1238-1338 | La Alhambra de Granada,<br>1238-1338 |

Spain, 13-14th century

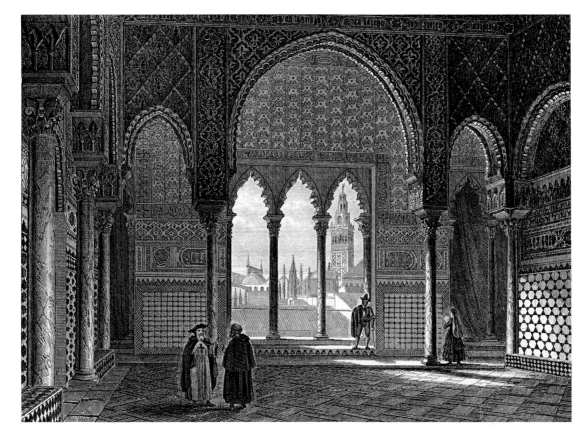

| a-b | Casttle | Schloß | Castello | Château | Castillo |

**Spain**

El Escorial, 1563-84, by Juan de Toledo and Juan de Herrera

El Escorial, 1563-84, von Juan de Toledo und Juan de Herrera

El Escorial, 1563-84, Juan de Toledo e Juan de Herrera

L'Escorial, 1563-84, élevé par Juan de Toledo et Juan de Herrera

El Escorial, 1563-1584, obra de Juan de Toledo y Juan de Herrera

**Spain, 16th century**

| | | | | |
|---|---|---|---|---|
| a | Roof top, Lissabon | Dachgiebel in Lissabon | Tetto, Lisbona | Un toit de Lisbonne | Tejado, Lisboa |
| b | Monastery, Thomar | Kloster, Thomar | Monastero, Tomar | Un monastère de Tomar | Monasterio de Tomar |

**Portugal**

| | | | | | |
|---|---|---|---|---|---|
| a | Megalithic monument | Megalithisches Monument | Monumento megalitico | Monument mégalithique | Monumento megalítico |
| b | Megalithic monument, Saumur | Megalithisches Monument, Saumur Megalithisches | Monumento megalitico, Saumur | Monument mégalithique, Saumur | Monumento megalítico, Saumur |
| c | Megalithic monument, known as the Merchant's table, Locmariaquer | Monument, als Table des Marchands bezeichnet, Locmariaquer | Monumento megalitico, noto come la tavola del Mercante, Locmariaquer | Monument mégalithique de Locmariaquer, appelé La Table des Marchands | Monumento megalítico en Locmariaquer, conocido como la Table des Marchands |
| d | Interior of dolmen of Saumur | Inneres eines Dolmen in Saumur | Interno del dolmen di Saumur | Intérieur du dolmen de Saumur | Interior del dolmen de Saumur |
| e | Megalithic monument, Poitiers | Megalithisches Monument, Poitiers | Monumento megalitico, Poitiers | Monument mégalithique, Poitiers | Monumento megalítico, Poitiers |

| a | Pont du Gard, Nîmes, 19 BC | Pont du Gard, Nimes, 19 v. Chr. | Pont du Gard, Nîmes, 19 a.C. | Pont du Gard, Nîmes, 19 av J.-C. | Pont du Gard, Nîmes, 19 a. C. |
| b | Pont de Saint-Chamas, Aix-en-Provence | Pont de Saint-Chamas, Aix en Provence | Pont de Sait-Chamas, Aix en Provence | Pont de Saint-Chamas, Aix-en-Provence | Pont de Saint-Chamas, Aix-en-Provence |
| c | Roman grave monument, Saint-Rémy | Römisches Grabmonument, Saint-Rémy | Monumento funerario romano, Saint-Rémy | Tombe romaine, Saint-Rémy | Monumento mortuorio romano en Saint-Rémy |

**France, 1st century** BC

Cathedral of Notre-Dame, Puy   Die Kathedrale von Notre   Cattedrale di Notre-Dame,   Cathédrale Notre-Dame du Puy   Catedral Notre-Dame du Puy
                               Dame, Puy                   Puy

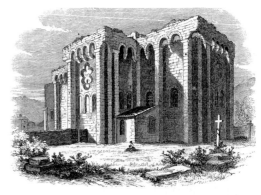

| | | | | | |
|---|---|---|---|---|---|
| a | Abbey church of St. Peter and St. Paul, Cluny, 1088-1130 | Abteikirche der Heiligen Peter und Paul, Cluny, 1088-1130 | Abbazia di San Pietro e San Paolo, Cluny, 1088-1130 | Abbaye St-Pierre et St-Paul de Cluny, 1088-1130 | Abadía de San Pedro y San Pablo, Cluny, 1088-1130 |
| b | Fortified church, Royat | Festungskirche, Royat | Chiesa fortificata, Royat | Église fortifiée de Royat | Iglesia fortificada en Royat |
| c | Notre-Dame-la-Grande church, Poitiers, 12th century | Kirche von Notre Dame la Grande, Poitiers, 12. Jahrhundert | Chiesa di Notre-Dame-la-Grande, Poitiers, XII secolo | Église Notre-Dame-la-Grande, Poitiers, XIIe siècle | Iglesia Notre-Dame-la-Grande, Poitiers, siglo XII |
| d | Triapsal church, Querqueville | Triabsidiale Kirche, Querqueville | Chiesa di Triapsal, Querqueville | Église triabside, Querqueville | Iglesia triábside, Querqueville |
| e | Church, Loupiac | Kirche, Loupiac | Chiesa, Loupiac | Église de Loupiac | Iglesia en Loupiac |
| f | St. Michel, Entraigues | Saint Michel, Entraigues | St. Michel, Entraigues | Église St-Michel d'Entraigues | St. Michel de Entraigues |
| g | St. Nicolas, Caen | Saint Nicolas, Caen | St. Nicolas, Caen | Église St-Nicolas de Caen | San Nicolás de Caen |
| h | Chapel of the Templars, Laon, 12th century | Templerkapelle, Laon, 12. Jahrhundert | Cappella dei Templari, Laon, XII secolo | Chapelle des Templiers, Laon, XIIe siècle | Capilla de los Templarios, Laon, siglo XII |

**France, 12th century**

| a | Notre-Dame-en-vaux, Châlons-sur-Marne, 12th century | Notre Dame en Vaux, Châlons sur Marne, 12. Jahrhundert | Notre-Dame-en-vaux, Châlons-sur-Marne, XII secolo | Notre-Dame-en-Vaux, Châlons-sur-Marne, XIIe siècle | Notre-Dame-en-Vaux, Châlons-sur-Marne, siglo XII |
|---|---|---|---|---|---|
| b | Cathedral of Notre-Dame, Coutances, 13th century | Kathedrale von Notre Dame, Coutances, 13. Jahrhundert | Cattedrale di Notre-Dame, Coutances, XIII secolo | Cathédrale Notre-Dame, Coutances, XIIIe siècle | Catedral of Notre-Dame de Coutances, siglo XIII |
| c | Church of St. Ouen, Rouen, 12-15th century | Kirche von St. Quen, Rouen, 12. – 15. Jahrhundert | Chiesa di Sant Ouen, Rouen, XII-XV secolo | Église St-Ouen, Rouen, XII-XVe siècle | Iglesia de San Ouen, Ruán, siglos XII-XV |
| d | Church of St. Urbain, Troyes, 13th century | Kirche von St. Urbain, Troyes, 13. Jahrhundert | Chiesa di Sant Urbani, Toryes, XIII secolo | Église St-Urbain, Troyes, XIIIe siècle | Iglesia de San Urbano, Troyes, siglo XIII |

France, 12-15th century

| a | Château Sourci | Château Sourci | Château Sourci | Château Sourci | Château Sourci |
|---|---|---|---|---|---|
| b | Pont Valentré, Cahors, 1308 | Pont Valentré, Cahors, 1308 | Pont Valentré, Cahors, 1308 | Pont Valentré, Cahors, 1308 | Pont Valentré, Cahors, 1308 |
| c | Tower of Château de Sevaur, 13th century | Turm des Château de Sevaur, 13. Jahrhundert | Torre del Castello di Sevaur, XIII secolo | Tour du Château de Sevaur, XIIIe siècle | Torreón del Château de Sevaur, siglo XIII |
| d | Tower of Château de Nogent-le-Rotrou, 13th century | Turm des Château de Nogent-le-Rotrou, 13. Jahrhundert | Torre del Castello di Nogent-le-Rotrou, XIII secolo | Tour du Château de Nogent-le-Rotrou, XIIIe siècle | Torreón del Château de Nogent-le-Rotrou, siglo XIII |
| e | Tower, Puissalicon | Turm, Puissalicon | Torre, Puissalicon | Tour, Puissalicon | Torre, Puissalicon |
| f | City walls, Aigues-Mortes | Stadtmauern von Aiges-Mortes | Mura cittadine, Aigues-Mortes | Remparts d'Aigues-Mortes | Murallas de la ciudad, Aigues-Mortes |
| g | Spire, Cunault | Kirchturm von Cunault | Guglia, Cunault | Clocher, Cunault | Pináculo, Cunault |

**France, 13-14th century**

| | | | | | |
|---|---|---|---|---|---|
| a | Saint-Jacques bell tower, Paris, 16th century | Glockenturm von Saint Jacques, Paris, 16. Jahrhundert | Campanile di Saint-Jacques, Parigi, XVI secolo | La Tour Saint-Jacques, Paris, XVIe siècle | Campanario de Saint-Jacques, París, siglo XVI |
| b | Hôtel des ursins, Paris, 14th-16th centruy | Hôtel des Ursins, Paris, 14.-16. Jahrhundert | Hôtel des Ursins, Parigi, XIV-XVI secolo | Hôtel des Ursins, Paris, XIV-XVIe siècle | Hôtel des Ursins, París, siglos XIV-XVI |
| c-d | Palace of Jacques Coeur, Bourges, 15th century | Herrschaftshaus des Jacques Coeur, Bourges, 15. Jahrhundert | Palazzo di Jacque Coeur, Bourges, XV secolo | Palais Jacques Cœur, Bourges, XVe siècle | Palacio de Jacques Coeur, Bourges, siglo XV |

**France, 14-16th century**

Les Tuileries, Paris    Les Tuileries, Paris    Les Tuileries, Parigi    Les Tuileries, Paris    Las Tullerías, París

**France**

Paris         Paris         Parigi         Paris         París

**France, 16th century**         Europe  87

| a | Chalet Hartmann, Schlucht | Chalet Hartmann, Schlucht | Chalet Hartmann, Schlucht | Chalet Hartmann, Schlucht | Chalet Hartmann, Schlucht |
|---|---|---|---|---|---|
| b | Farmer's house, Munsterthal | Bauernhaus, Münsterthal | Fattoria, Munserthal | Une ferme de Munsterthal | Granja en Munsterthal |

France, c. 1900

| a | Pont des Changeurs, Paris | Pont des Changeurs, Paris | Pont des Changeurs, Parigi | Pont des Changeurs, Paris | Pont des Changeurs, París |
| b | Bridge, Brest | Brücke in Brest | Ponte, Brest | Pont de Brest | Puente en Brest |

| a-b | Megalithic monument, Stonehenge | Megalithisches Monument, Stonehenge | Monumento megalitico, Stonehenge | Monument mégalithique, Stonehenge | Monumento megalítico de Stonehenge |

Great Brittain, c. 3100 BC

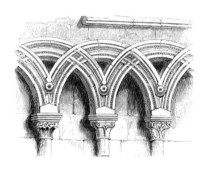

| | | | | | |
|---|---|---|---|---|---|
| a | Tower of Earl Barton's church | Turm der Kirche des Earl Barton | Torre della Chiesa del Conte Barton | Clocher de l'église d'Earl's Barton | Campanario de la iglesia de Earl Barton |
| b | Abbey of Kelso, 12-13th century | Abtei von Kelso, 12. – 13. Jahrhundert | Abbazia di Kelso, XII-XIII secolo | Abbaye de Kelso, XII-XIIIe siècle | Abadía de Kelso, siglos XII-XIII |
| c | Stairway, Canterbury | Treppenaufgang, Canterbury | Scale, Canterbury | Escaliers, Canterbury | Escalinata en Canterbury |
| d, f | Ornament from Holyrood, 12th century | Ornament aus Holyrood, 12. Jahrhundert | Ornamento di Holyrood, XII secolo | Ornements provenant de Holyrood, XIIe siècle | Detalle de la ornamentación de Holyrood, siglo XII |
| e | Arches in Kelso Abbey, 12-13th century | Gewölbe in der Abtei von Kelso, 12. – 13. Jahrhundert | Archi dell'Abbazia di Kelso, XII-XIII secolo | Voûtes de l'abbaye de Kelso, XII-XIIIe siècle | Arcos de la abadía de Kelso , siglos XII-XIII |
| g | Doorway, Elgin Cathedral, 13th century | Eingang der Kathedrale von Elgin, 13. Jahrhundert | Entrata, Cattedrale di Elgin, XIII secolo | Porte de la cathédrale d'Elgin, XIIIe siècle | Puerta de la catedral de Elgin, siglo XIII |
| h | Doorway, Pluscarden priory, 1230 | Eingang der Priorei von Pluscarden, 1230 | Entrata, prioria di Pluscarden, 1230 | Porte du prieuré de Pluscarden, 1230 | Puerta del priorato de Pluscarden, 1230 |
| i | Window, Leuchars | Fenster, Leuchars | Finestra, Leuchars | Fenêtre, Leuchars | Una ventana, Leuchars |

**Great Britain, 12-13th century**

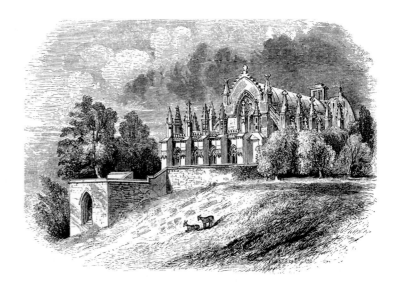

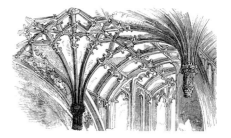

| | | | | |
|---|---|---|---|---|
| **a** Glasgow Cathedral | Kathedrale von Glasgow | Cattedrale di Glasgow | Cathédrale de Glasgow | La catedral de Glasgow |
| **b** Chapel at Roslyn | Kapelle bei Roslyn | Cappella di Roslyn | Chapelle de Roslyn | Capilla de Roslyn |
| **c-d** Elgin Cathedral, 1224 | Kathedrale von Elgin, 1224 | Cattedrale di Elgin, 1224 | Cathédrale d'Elgin, 1224 | La catedral de Elgin, 1224 |
| **e** Roof of cloister, Gloucester, 1100 | Klosterdach, Gloucester, 1100 | Tetto del chiostro, Gloucester, 1100 | Toit d'un cloître, Gloucester, 1100 | Techo del claustro, Gloucester, 1100 |
| **f** Vault of St. Georges Chapel, Windsor Castle, 15-16th century | Kuppel der St-Georgs-Kapelle, Windsor Castle, 15.-16. Jahrhundert | Volta della Cappella di San Giorgio, Castello di Windsor, XV-XVI secolo | Voûte de la chapelle St-Georges, château de Windsor, XV-XVIᵉ siècle | Bóveda de la capilla de San Jorge, en el castillo de Windsor, siglos XV-XVI |
| **g** Roof of choir, St. Frideswide priory, Oxford, 16th century | Chordach, Priorei von St. Frideswide, Oxford, 16. Jahrhundert | Tetto del coro, prioria di San Frideswide, Oxford, XVI secolo | Toit du choeur du prieuré de St-Frideswide, Oxford, XVIᵉ siècle | Techo del coro del priorato de St. Frideswide, Oxford, siglo XVI |

**Great Brittain, 12-16th century**

Ruins of Tetbury Castle      Die Ruinen von Tetbury Castle      Rovine del Castello di Tetbury      Ruines du château de Tetbury      Ruinas del castillo de Tetbury

| | | | | |
|---|---|---|---|---|
| **a** | Cloister, Kilconnell Abbey | Kloster, Abtei von Kilconnel | Chiostro, Abbazia di Kilconnel | Cloître de l'abbaye de Kilconnel | Claustro de la abadía de Kilconnel |
| **b** | Tower, Jerpoint Abbey, 1158 | Turm der Abtei von Jerpoint, 1158 | Torre, Abbazia di Jerpoint, 1158 | Tour de l'abbaye de Jerpoint, 1158 | Torreones de la abadía de Jerpoint, 1158 |
| **c** | Oratory, Innisfallen, Killarney, 9th century | Oratorium, Innisfallen, Killarney, 9. Jahrhundert | Oratorio, Innisfallen, Killarney, IX secolo | Oratoire, Innisfallen, Killarney, IXᵉ siècle | Oratorio en Innisfallen, Killarney, siglo IX |
| **d** | Ballyromney Court, Cork | Ballyromney Court, Cork | Ballyromney Court, Cork | Cour de Ballyromney, Cork | Ballyromney Court, Cork |
| **e** | House, Galway | Haus, Galway | Casa, Galway | Une maison de Galway | Casa en Galway |
| **f** | Cormac's Chapel, Cashel, 1127-1134 | Cormac-Kapelle, Cashel, 1127-1134 | Cappella di Cormac, Cashel, 1127-1134 | Chapelle de Cormac, Cashel, 1127-1134 | Capilla de Cormac, Cashel, 1127-1134 |

**Ireland, 9-12th century**

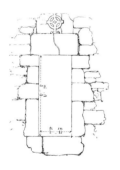

| | | | | | |
|---|---|---|---|---|---|
| a | Tower, Keneith, Cork | Turm, Kweneit, Cork | Torre, Keneith, Cork | Tour, Keneith, Cork | Torre, Keneith, Cork |
| b | Tower, Devenish, 6th century | Turm, Devenish, 6. Jahrhundert | Torre, Devenish, VI secolo | Tour, Devenish, VIᵉ siècle | Torre, Devenish, siglo VI |
| c | Tower, Ardmore | Turm, Ardmore | Torre, Ardore | Tour, Ardmore | Torre, Ardmore |
| d | Tower, Kilree, Kilkenny, 6th century | Turm, Kilree, Kilkenny, 6. Jahrhundert | Torre, Kilree, Kilkenny, VI secolo | Tour, Kilree, Kilkenny, VIᵉ siècle | Torre, Kilree, Kilkenny, siglo VI |
| e | Oratory | Oratorium | Oratorio | Oratoire | Oratorio |
| f | Round tower and chapel, Roscrea | Rundturm und Kapelle, Roscrea | Torre rotonda e cappella, Roscrea | Tour circulaire et chapelle, Roscrea | Torreón circular con capilla anexa, Roscrea |
| g | St. Kevin's kitchen, Glendalough, 11-12th century | Kapelle St. Kevin's Kitchen, Glendalough, 11.-12. | Cappella S. Kevin's kitchen, Glendalough, XI-XII secolo | Chapelle St-Kevin's kitchen, Glendalough, XI-XIIᵉ siècle | Capilla de St. Kevin's kitchen, Glendalough, siglos XI-XII |
| h, k | Window | Jahrhundert | Finestra | Fenêtre | Ventana |
| i-j | Doorway | Fenster | Ingresso | Porte | Puerta |

**Ireland, 6-12th century**

| | | | | | |
|---|---|---|---|---|---|
| a | Curch in Nivelles | Kirche bei Nivelles | Chiusa di Nivelles | Église de Nivelles | Iglesia de Nivelles |
| b | Church of Our Lady, Maastricht, 10th century | Liebfrauenkirche, Maastricht, 10. Jahrhundert | Chiesa di Nostra Signora, Maastricht, x secolo | Église Notre-Dame de Maastricht, xe siècle | Iglesia de Nuestra Señora en Maastricht, siglo x |
| c | Spires of the chapel of St. Sang, Brugge | Türme der Kapelle Saint-Sang, Brügge | Guglie della cappella di San Sang, Bruges | Flèches de la chapelle du St-Sang, Bruges | Pináculos de la capilla de St. Sang, Brujas |
| d | Town Hall, Brussels, 17th century | Rathaus, Brüssel, 17. Jahrhundert | Municipio, Bruxelles, xvii secolo | Mairie de Bruxelles, xviie siècle | Ayuntamiento de Bruselas, siglo xvii |
| e | Cathedral of Our Lady, Antwerp, 14th century | Liebfrauenkathedrale, Antwerpen, 14. Jahrhundert | Cattedrale di Nostra Signora, Anversa, xiv secolo | Cathédrale Notre-Dame d'Anvers, xive siècle | Catedral de Nuestra Señora, Amberes, siglo xiv |

**Belgium - The Netherlands, 10-17th century**

Town Hall, Brugge, 1376-1420  Rathaus, Brügge, 1376-1420  Municipio, Bruges, 1376-1420  Mairie de Bruges, 1376-1420  Ayuntamiento de Brujas,
19th-century                                                                                                                    1376-1420

**Belgium, 14-15th century**

Market, Brugge      Markthalle, Brügge      Piazza del mercato, Bruges      Marché de Bruges      Mercado de Brujas

**Belgium, 13-15th century**

Cloth Hall, Ypres, 1214      Tuchhalle (Lakenhal), Ypres, 1214      Sala dei tessuti, Ypres, 1214      Halles aux Draps, Ypres, 1214      Mercado de tejidos, Ypres, 1214

| a | Smitspoort, Brugge | Smitspoort, Brügge | Smitspoort, Bruges | Smitspoort, Bruges | Smitspoort, Brujas |
| b | Het Vrije, Brugge | Het Vrije, Brügge | Het Vrije, Bruges | Het Vrije, Bruges | Het Vrije, Brujas |

Belgium

Exchange, Amsterdam    Die Amsterdamer Börse    Borsa, Amsterdam    La bourse d'Amsterdam    La Bolsa de Amsterdam

**The Netherlands, 17th century**

| a | Porta Nigra, Trier, 4th century AD | Porta Nigra, Trier, 4. Jahrhundert n. Chr. | Porta Nigra, Trier, IV secolo d.C. | Porta Nigra, Trèves, IVᵉ siècle ap J.-C. | Porta Nigra, Tréveris, siglo IV a. C. |
| b | Brickwork Roman Tower, Cologne, 1st century AD | Mauerwerk am Römerturm in Köln, 1. Jahrhundert n. Chr. | Torre romana di mattoni, Colonia, I secolo d.C. | Tour romaine en briques, Cologne, premier siècle ap J.-C. | Torre romana de ladrillo, Colonia, siglo I |

**Germany, 1-4th century** AD

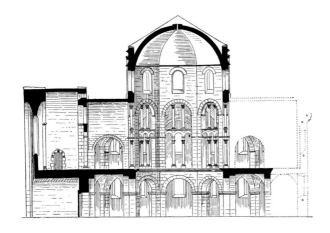

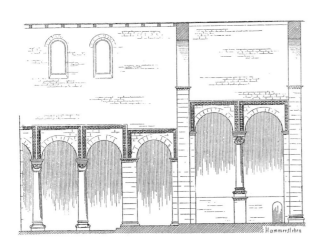

| a | Romanesque church | Romanische Kirche | Chiesa romanica | Église romane | Iglesia románica |
| b | Cathedral of Speyer, 1030 | Dom zu Speyer, 1030 | Cattedrale di Speyer, 1030 | Cathédrale de Speyer, 1030 | Catedral de Speyer, 1030 |
| c | Abbey of Limburg, 11-12th century | Abtei von Limburg, 11.-12. Jahrhundert | Abbazia di Limburg, XI-XII secolo | Abbaye de Limburg, XI-XIIe siècle | Abadía de Limburgo, siglos XI-XII |
| d | Monastery of Hammersleben | Kloster von Hammersleben | Monastero di Hammersleben | Monastère d'Hammersleben | Monasterio de Hammersleben |
| e | Cathedral, Basel, 1019 | Basler Dom, 1019 | Cattedrale, Basilea, 1019 | Cathédrale de Bâle, 1019 | Catedral de Basilea, 1019 |

| a | Church of St. Severus, Erfurth | St. Severuskirche, Erfurth | Chiesa di San Severo, Erfurth | Église de St. Severus, Erfurth | Iglesia de San Severo, Erfurt |
| b | Church, Altenstadt am Lech | Kirche, Altenstadt am Lech | Chiesa, Altenstad am Lech | Église d'Altenstadt am Lech | Iglesia en Altenstadt am Lech |
| c | Cathedral, Limburg an der Lahn | Limburger Dom, Limburg an der Lahn | Cattedrale, Limburg an der Lahn | Cathédrale de Limburg an der Lahn | Catedral de Limburgo |
| d | Church, Rosheim | Kirche, Rosheim | Chiesa, Rosheim | Église de Rosheim | Iglesia de Rosheim |
| e | St. Martins Cathedral, 975-1009 | St. Martinskathedrale, 975-1009 | Cattedrale di San Martino, 975-1009 | Cathédrale de St. Martin, 975-1009 | Catedral de San Martín, 975-1009 |
| f | Cathedral of SS. Peter and Paul, Worms, 1018-14th century | Dom St. Peter und Paul, Worms, 1018-14. Jahrhundert | Cattedrale dei Santi Pietro e Paolo, Worms, 1018 – XIV secolo | Cathédrale St-Pierre et St-Paul, Worms, 1018-XIVe siècle | Catedral de San Pedro y San Pablo, Worms, 1018-siglo XIV |

**Germany, 10-14th century**

| a | Church, Riddagshausen | Kirche, Riddagshausen | Chiesa, Riddagshausen | Église de Riddagshausen | Iglesia en Riddagshausen |
|---|---|---|---|---|---|
| b | St. Wang, Bavaria | St. Wang, Bayern | San Wang, Baviera | St-Wang, Bavière | St. Wang, Bavaria |

Cologne Cathedral,
1320-1560-1800

Kölner Dom, 1320-1560-1800

Cattedrale di Colonia,
1320-1560-1800

Cathédrale de Cologne,
1320-1560-1800

Catedral de Colonia,
1320-1560-1800

Germany, 14-19th century

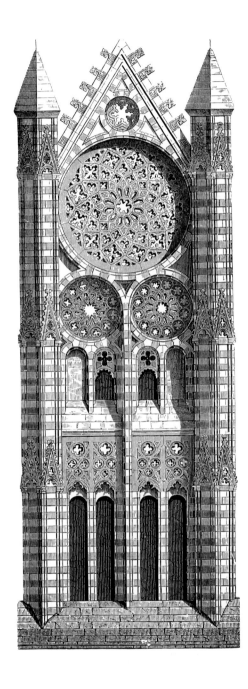

a     Katharinenkirche,     Katharinenkirche,     Katharinenkirche,     Katharinenkirche,     Katharinenkirche,
      Brandenburg            Brandenburg            Brandenburg            Brandebourg            Brandeburgo

b     Interior of a Gothic castle     Gotisches Schloss, innen     Interno di un castello gotico     Intérieur d'un château     Interior de un castillo gótico
                                                                                 gothique

| a | Town Hall, Braunschweig, 14-15th century | Braunschweiger Rathaus, 14.-15. Jahrhundert | Municipio, Brandenburg, XIV-XV secolo | Mairie de Braunschweig, XIV-XV$^e$ siècle | Ayuntamiento de Braunschweig, siglos XIV-XV |
| b | Town Hall, Lübeck, 16th century | Lübecker Rathaus, 16. Jahrhundert | Municipio, Lubecca, XVI secolo | Mairie de Lübeck, XVI$^e$ siècle | Ayuntamiento de Lübeck, siglo XVI |

Germany, 14-16th century

| a | Castle | Schloss | Castello | Château | Castillo |
| b | Wartburg, 12th century | Wartburg, 12. Jahrhundert | Wartburg, XII secolo | Wartburg, XIIe siècle | Wartburg, siglo XII |
| c | Entrance of the abbey of Lorsch, 8-9th century | Eingang der Abtei bei Lorsch, 8.-9. Jahrhundert | Entrata dell'abbazia di Lorsch, VIII-IX secolo | Entrée de l'abbaye de Lorsch, VIII-IXe siècle | Entrada de la abadía de Lorsch, siglos VIII-IX |

**Germany, 8-12th century**

| a | Tower, Tangermünde | Turm, Tangermünde | Torre, Tangermünde | Tour, Tangermünde | Torreón en Tangermünde |
|---|---|---|---|---|---|
| b | Town gate, Stendhal | Stadttor, Stendhal | Porta della città, Stendhal | Entrée de Stendhal | Puerta de la ciudad, Stendhal |
| c | Tower on the Charles bridge, Prague, Czech Republic | Turm der Karlsbrücke, Prag, tschechische Republik | Torre sul ponte Charles, Praga, Repubblica Ceca | Une tour du pont Charles, à Prague en République Tchèque | Torreón del puente de Carlos, Praga, República Checa |
| d | Spalentor, Basel, Switzerland, 15th century | Spalentor in Basel, Schweiz, 15. Jahrhundert | Spalentor, Basilea, Svizzera, xv secolo | Spalentor, Bâle, Suisse, xvᵉ siècle | Spalentor, Basilea, Suiza, siglo xv |

**Germany – Czech republic – Switzerland, 15th century**

Wartburg     Wartburg     Wartburg     Wartburg     Wartburg

**Germany, 12th century**

Cathedral of Freiburg     Freiburger Münster     Cattedrale di Friburgo     Cathédrale de Fribourg     Catedral de Friburgo

**Germany, 12-16th century**

Cathedral (1154-1476) and church of St. Severus, Erfurt

Erfurter Dom (1154-1476) und Severuskirche, Erfurt

Cattedrale (1154-1476) e chiesa di San Severo, Erfurt

Cathédrale (1154-1476) et église de St-Severus, Erfurt

Catedral (1154-1476) e iglesia de St. Severus, Erfurt

**Germany, 12-15th century**          Europe   115

Steel factory Friedrich Krupp, Essen

Stahlwerke Friedrich Krupp, Essen

Acciaieria Friedrich Krupp, Essen

Usine sidérurgique Friedrich Krupp, Essen

Siderurgia Friedrich Krupp, Essen

Germany, c. 1900

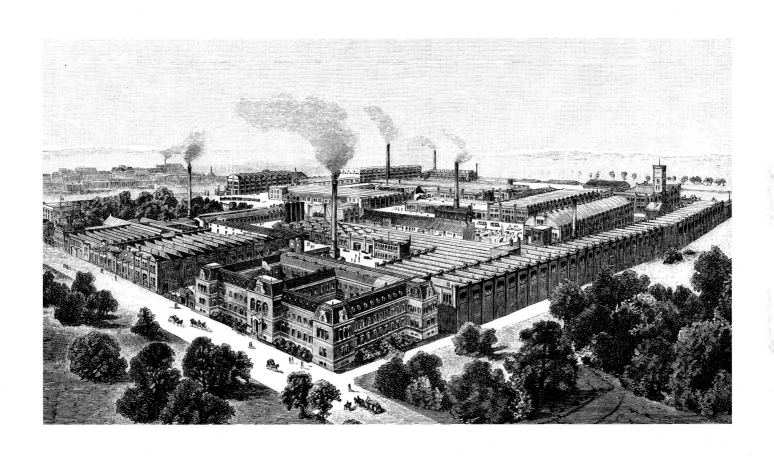

Gruson factory, Magdeburg-Buckau

Gruson-Werke, Magdeburg-Buckau

Fabbrica Gruson, Madgeburg-Buckau

Usine Gruson, Magdeburg-Buckau

Fábrica Gruson, Magdeburgo-Buckau

**Germany, c. 1900**        Europe   117

| a | Norwegian house and church | Norwegisches Haus und Kirche | Casa e chiesa norvegesi | Maison et église norvégienne | Vivienda junto a la iglesia, en una población de Noruega |
| b | Hut in Lapland | Hütte in Lappland | Capanna in Lapponia | Une cabane de Laponie | Cabaña en Laponia |

Norway, c. 1900

| a | Hammerfest | Hammerfest | Hammerfest | Hammerfest | Hammerfest |
|---|---|---|---|---|---|
| b | Wooden house, Telemark | Holzhaus, Telemark | Casa di legno, Telemark | Maison en bois, Telemark | Casa de madera en Telemark |
| c | Wooden house | Holzhaus | Casa di legno | Maison en bois | Casa de madera |

Norway, c. 1900          Europe  119

| a | Wooden houses | Holzhäuser | Casa di legno | Maisons en bois | Casas de madera |
| b | Harbour | Hafen | Porto | Port | Puerto |
| c | Wooden bridge, Roldal | Holzbrücke, Roldal | Ponte di legno, Roldal | Pont en bois, Roldal | Puente de madera en Roldal |
| d | Water mill | Wassermühle | Mulino ad acqua | Moulin hydraulique | Molino hidráulico |

**Norway, c. 1900**

Wooden house in Telemark   Holzhaus in Telemark   Casa di legno a Telemark   Maison en bois, Telemark   Casa de madera en Telemark

| a | Cathedral of Trondheim | Kathedrale von Trondheim | Cattedrale di Trondheim | Cathédrale de Trondheim | Catedral de Trondheim |
| b | Church | Kirche | Chiesa | Église | Iglesia |
| c | Church in Urnes | Stabkirche in Urnes | Chiesa di Urnes | Église d'Urnes | Iglesia en Urnes |

**Norway, c. 1900**

Fish market, Bergen      Fischmarkt, Bergen      Mercato del pesce, Bergen      Marché aux poissons, Bergen      Lonja de pescado en Bergen

**Norway, c. 1900**      Europe  123

| a | Krakau | Krakau | Cracovia | Cracovie | Cracovia |
|---|--------|--------|----------|----------|----------|
| b | Monument of Ksciuszko, near Krakau, c. 1900 | Ksciuszko-Monument bei Krakau, um 1900 | Monumento di Ksciuszko, vicino Cracovia, ca. 1900 | Monument de Ksciuszko, près de Cracovie, vers 1900 | Monumento a Ksciuszko, cerca de Cracovia, hacia 1900 |

Poland, c. 1900

Palace of emperor Diocletian, Split

Palast des Kaisers Diokletian, Split

Palazzo dell'imperatore Diocleziano, Split

Palais de l'empereur Dioclétien, Split

Palacio del emperador Diocleciano en Split

Farmer's hut near Osijek          Bauernhof bei Osjek          Capanna di agricoltori, vicino          Une ferme près d'Osijek          Granja cerca de Osijek
                                                                Osijek

Croatia, c. 1900

Farmer's hut          Bauernhof          Capanna di agricoltori          Une ferme          Granja

Museum and parliament,
Budapest

Museum und Parlament,
Budapest

Museo e parlamento,
Budapest

Musée et parlement de
Budapest

Museo y Parlamento de
Budapest

Hungary

a-b    Fishermen's huts        Fischerhütten        Capanne di pescatori        Cabanes de pêcheurs        Cabañas de pescadores

**Hungary, c. 1900**        Europe   129

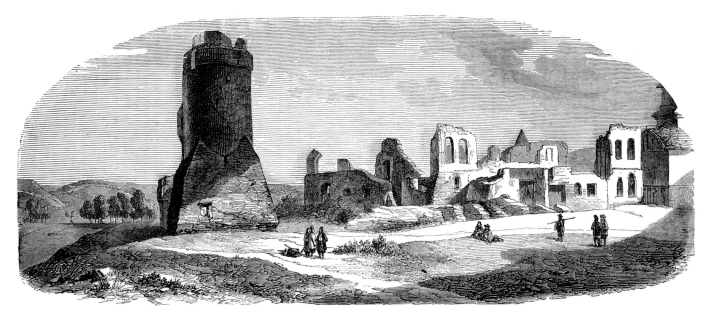

| a | Windmill and fountain near Constanta | Windmühle und Quelle bei Constanta | Mulino ad acqua e fontana vicino a Constanta | Moulin à vent et fontaine près de Constanta | Molino hidráulico y fuente en las cercanías de Constanza |
| b | Ruins of the castle of Târgoviste, 16th century | Ruinen des Schlosses Târgoviste, 16. Jahrhundert | Rovine del castello di Târgoviste, XVI secolo | Ruines du château de Târgoviste, XVIe siècle | Ruinas del castillo de Târgoviste, siglo XVI |

**Romania, 16th century**

| a | Bucharest | Bukarest | Bucarest | Bucarest | Bucarest |
|---|-----------|----------|----------|----------|----------|
| b | Khan-Manouck, Bucharest | Khan-Manouck, Bukarest | Khan-Manouck, Bucarest | Khan-Manouck, Bucarest | Khan-Manouck, Bucarest |

Romania     

Street in Bucharest        Straße in Bukarest        Strada di Bucarest        Une rue de Bucarest        Una calle de Bucarest

Romania, c. 1900

| a | Post station, Moldo-Valachia | Poststation, Moldo-Valachia | Stazione postale, Moldavia - Valacchia | Poste centrale de, Moldo-Valachia | Central de correos, Moldo-Valachia |
| b | House, Moldo-Valachia | Haus, Moldo-Valachia | Casa, Moldavia - Valacchia | Une maison de Moldo-Valachia | Vivienda en Moldo-Valachia |

**Romania, c. 1900**        Europe  133

| a | Church and Khan St. George, Bucharest | Kirche und Khan St. Georg, Bukarest | Chiesa e Khan San Giorgio, Bucarest | Église St-George, Bucarest | Iglesia de San Jorge, Bucarest |
| b | Monastery of Niamzo | Kloster von Niamzo | Monastero di Niamzo | Monastère de Niamzo | Monasterio de Niamzo |
| c | Tower of Coltza | Turm von Coltza | Torre di Coltza | Tour de Coltza | Campanario de Coltza |

**Romania**

| a | Church | Kirche | Chiesa | Église | Iglesia |
|---|--------|--------|--------|--------|---------|
| b | Church in Vörösmart | Kirche in Rothbach (Vörösmart) | Chiesa di Vôrösmart | Église de Vörösmart | Iglesia en Vörösmart |

The Kremlin, Moscow      Der Kreml, Moskau      Il Cremlino, Mosca      Le Kremlin de Moscou      El Kremlin, Moscú

     **Russia, c. 1900**

| a | The Kremlin, Moscow | Der Kreml, Moskau | Il Cremlino, Mosca | Le Kremlin de Moscou | El Kremlin, Moscú |
| b | Cathedral of St. Basil the Blessed, 1555-60, Moscow | Basilius-Kathedrale, 1555-60, Moskau | Cattedrale di San Basilio il Ferito, 1555-60, Mosca | Cathédrale de St-Basile le Bienheureux, 1555-60, Moscou | Catedral de San Basilio el Bienaventurado, 1555-1560, Moscú |

**Russia, 16th century**

Cathedral of St. Basil the
Blessed, 1555-60, Moscow

Basilius-Kathedrale, 1555-60,
Moskau

Cattedrale di San Basilio il
Ferito, 1555-60, Mosca

Cathédrale de St-Basile
le Bienheureux, 1555-60,
Moscou

Catedral de San Basilio
el Bienaventurado,
1555-1560, Moscú

**Russia, 16th century**

| | | | | | |
|---|---|---|---|---|---|
| a | Cathedral of St. Basil the Blessed, 1555-60, Moscow | Basilius-Kathedrale, 1555-60, Moskau | Cattedrale di San Basilio il Ferito, 1555-60, Mosca | Cathédrale de St-Basile le Bienheureux, 1555-60, Moscou | Catedral de San Basilio el Bienaventurado, 1555-1560, Moscú |
| b | Cathedral of the Assumption (Uspensky Sobor), Moscow, 1475-79 | Mariä-Himmelfahrts-Kathedrale (Uspenskij Sobor), Moskau, 1475-79 | Cattedrale dell'Assunzione (Uspensky Sobor), Mosca, 1475-79 | Cathédrale de l'Assomption (Uspensky Sobor), Moscou, 1475-79 | Catedral de la Dormición (Uspensky Sobor), Moscú, 1475-1479 |
| c | Hall in the Kremlin, Moscow | Saal im Kreml, Moskau | Sala del Cremlino, Mosca | Hall du Kremlin, Moscou | Vestíbulo del Kremlin, Moscú |

**Russia, 15-16th century**

| a, c-d | Church | Kirche | Chiesa | Église | Iglesia |
|---|---|---|---|---|---|
| b | Cathedral of the Assumption (Uspensky Sobor), Moscow, 1475-79 | Mariä-Himmelfahrts-Kathedrale (Uspenskij Sobor), Moskau, 1475-79 | Cattedrale dell'Assunzione (Uspensky Sobor), Mosca, 1475-79 | Cathédrale de l'Assomption (Uspensky Sobor), Moscou, 1475-79 | Catedral de la Dormición (Uspensky Sobor), Moscú, 1475-1479 |

**Russia, 15th century**

Bell tower of Ivan the Great    Glockenturm von Iwan dem    Campanile di Ivan il Grande    Clocher d'Ivan le Grand    Campanario de Iván el Grande
                                Großen

**Russia, 16th century**

Krasnoye Selo,
Saint Petersburg, 1730

Krasnoye Selo, Sankt
Petersburg, 1730

Krasnoye Selo, San
Pietroburgo, 1730

Krasnoye Selo,
Saint-Pétersbourg, 1730

Krasnoye Selo,
San Petersburgo, 1730

**Russia, 18th century**

| a | Saint Petersburg | Sankt Petersburg | San Pietroburgo | Saint-Pétersbourg | San Petersburgo |
| b | Winter Palace, Saint Petersburg, 1754-62 | Winterpalast, Sankt Petersburg, 1754-62 | Palazzo d'Inverno, San Pietroburgo, 1754-62 | Palais d'hiver, Saint-Pétersbourg, 1754-62 | Palacio de Invierno, San Petersburgo, 1754-1762 |

**Russia, 18th century**

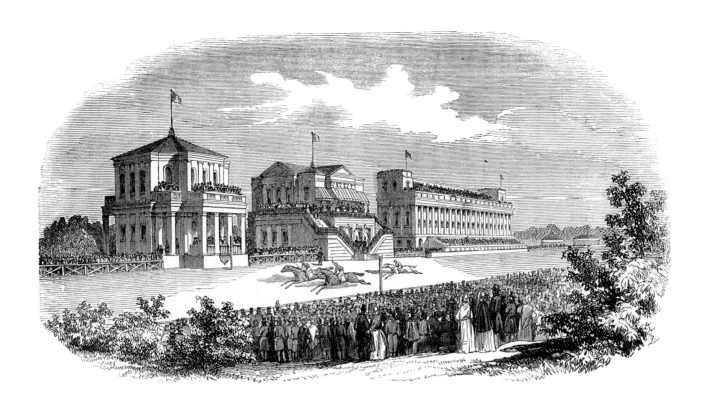

| | | | | | |
|---|---|---|---|---|---|
| a | Palace square with the Alexander Column (1830-34), Saint Petersburg | Schlossplatz mit Alexandersäule (1830-34), Sankt Petersburg | Piazza del Palazzo con la Colonna di Alessandro (1830-34), San Pietroburgo | La colonne Alexandre au centre de la place du Palais (1830-34), Saint-Pétersbourg | La Columna de Alejandro domina la plaza situada ante el palacio (1830-1834), San Petersburgo |
| b | Ice track on the Admiralty, c. 1900 | Eisbahn bei der Admiralität, um 1900 | Pista di ghiaccio sull'Ammiragliato, ca. 1900 | Piste enneigée devant les bâti-ments de la marine vers 1900 | Pista de hielo en el Almirantazgo, hacia 1900 |

| a | Senate Square with the statue of Peter the Great (1783) and St. Isaac's Cathedral (1818-58), Saint Petersburg | Senatsplatz mit der Statue Peters des Großen (1783) und Isaak-Kathedrale (1818-58), Sankt Petersburg | Piazza del Senato con la statua di Pietro il Grande (1783) e la cattedrale di Sant Isaac (1818- 58), San Pietroburgo, | Statue de Pierre le Grand sur la place du sénat (1783) et cathédrale St-Isaac (1818- 58), Saint-Pétersbourg | La plaza del Senado, presidida por una estatua de Pedro el Grande (1783), y la catedral de San Isaac (1818-1858), en San Petersburgo |
| b | St. Isaac's Cathedral, Saint Petersburg, 1818-58 | Isaak-Kathedrale, Sankt Petersburg, 1818 – 58 | Cattedrale di Sant Isaac, San Pietroburgo, 1818- 58 | Cathédrale de St-Isaac, Saint-Pétersbourg, 1818-58 | La catedral de San Isaac, en San Petersburgo, 1818-1858 |

**Russia, 18-19th century**

| a | Monastery between Saint Petersburg and Petrodvorets (Peterhof) | Kloster zwischen Sankt Petersburg und Petrodworets (Peterhof) | Monastero fra San Pietroburgo e Petrodvorets (Peterhof) | Un monastère entre Saint-Pétersbourg et Petrodvorets (Peterhof) | Monasterio situado entre San Petersburgo y Petrodvorets (Peterhof) |
| b | Pavillion in the Great Palace in Petrovorets (Peterhof), 1714-28 | Pavillon in Großen Palast Petrodworets (Peterhof), 1714-28 | Padiglione nel Gran Palazzo di Petrovorets (Peterhof), 1714-28 | Pavillon dans le grand palais de Petrodvorets (Peterhof), 1714-28 | Pabellón del Gran Palacio de Petrovorets (Peterhof), 1714-1728 |
| c | Islands Kamennoi and Lelaghine | Inseln Kamennoi und Lelaghine | Isole Kamennoi e Lelaghine | Les îles Kamennoye et Lelaghine | Islas Kamennoye y Lelaghine |

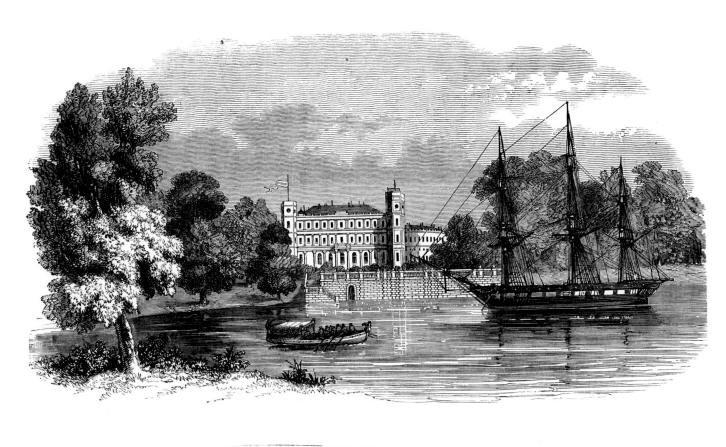

| a | Gatchina palace, 1766-81 | Gatchina-Palast, 1766-81 | Palazzo Gatchina, 1766-81 | Palais de Gatchina, 1766-81 | Palacio de Gatchina, 1766-1781 |
| b | Exchange, Saint Petersburg | Sankt Petersburger Börse | Borsa, San Pietroburgo | La bourse, Saint-Pétersbourg | La Bolsa de San Petersburgo |

**Russia, 18th century**

a-b      Theatre          Theater          Teatro          Théâtre          Teatro

Archangel          Archangel          Arcangelo          Archange          Arcángel

Russia, c. 1900

a-b     Monastery on the island of     Kloster auf den Slowetzky-     Monastero sull'Isola di     Un monastère sur l'île     Monasterio en la isla de
Slowetsk     Inseln     Slowetsk     de Slowetsk     Slowetsk

| | | | | | |
|---|---|---|---|---|---|
| a | Village church near Tzarkoe Selo | Dorfkirche bei Tsarkoe Selo | Chiesa di paese vicino a Tzarkoe Selo | L'église d'un village près de Tzarkoe Selo | Iglesia de un pueblo de los alrededores de Tzarkoe Selo |
| b | Church, Novogorod | Kirche in Novogorod | Chiesa, Novogorod | Église de Novogorod | Iglesia en Novogorod |
| c | Chuch, Kostroma | Kirche, Kostroma | Chiesa, Kostroma | Église de Kostroma | Iglesia en Kostroma |
| d | Church near Kostroma | Kirche bei Kostroma | Chiesa vicino a Kostroma | Une église près de Kostroma | Iglesia cerca de Kostroma |

**Russia**

| | | | | | |
|---|---|---|---|---|---|
| a | Tower of Boris, Moscow | Boristurm, Moskau | Torre di Boris, Mosca | Tour de Boris, Moscou | Campanario de Boris, Moscú |
| b | Holy Gate, Kremlin | Heiliges Tor, Kremlin | Porta Santa, Cremlino | La Porte Sainte du Kremlin | Puerta de la Santísima Trinidad, el Kremlin |
| c | Tower of Ivan Veliki, Moscow | Glockenturm Iwan Weliki (Großer Iwan), Moskau | Torre di Ivan Veliki, Mosca | Clocher Ivan Veliki, Moscou | Campanario de Iván el Grande, Moscú |
| d | Church | Kirche | Chiesa | Église | Iglesia |
| e | Cathedral of Tchernigov | Kathedrale von Tchernigow | Cattedrale di Tchernigov | Cathédrale de Tchernigov | Catedral de Chernigov |

| a | Houses in northern Russia | Haus in Nordrussland | Case nel nord della Russia | Maisons du nord de la Russie | Viviendas en el norte de Rusia |
|---|---|---|---|---|---|
| b | Russian village | Russisches Dorf | Paese russo | Village russe | Población rusa |

**Russia, c. 1900**

House in southern Russia    Haus in Südrussland    Casa nel sud della Russia    Maison du sud de la Russie    Casa en el sur de Rusia

Russia, c. 1900    Europe    155

Nova Zembla          Nova Zembla (Novaya          Nova Zembla          Nova Zembla          Nova Zembla
                     Zemlya)

Asia
Asien
Asia
Asie
Asia
アジア
亞洲

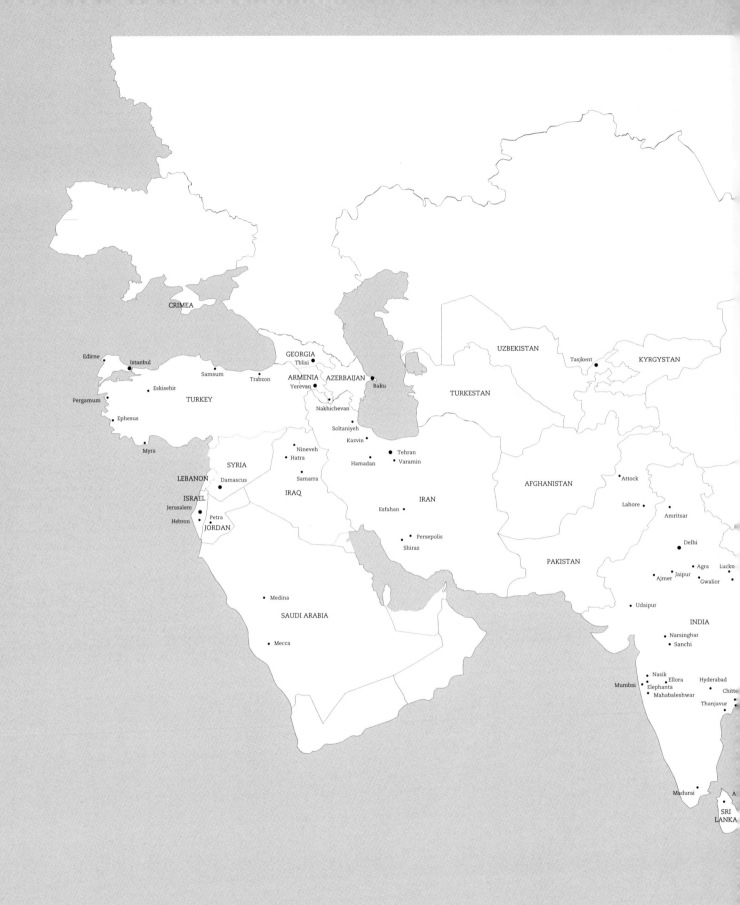

CRIMEA

Edirne
Istanbul
Samsum
Eskisehir
Pergamum
TURKEY
Ephesus
Myra

GEORGIA
Tblisi
ARMENIA    AZERBAIJAN
Yerevan                Baku
Trabzon
Nakhichevan
Soltaniyeh
Kazvin
Nineveh            Tehran
Hatra              Varamin
SYRIA              Hamadan
Damascus
Samarra
LEBANON        IRAQ
ISRAEL                          IRAN
Jerusalem                Esfahan
Petra
Hebron
JORDAN                    Persepolis
                         Shiraz

UZBEKISTAN
Tasjkent        KYRGYSTAN

TURKESTAN

AFGHANISTAN
Attock
Lahore
Amritsar
Delhi
PAKISTAN
Agra    Luckn
Ajmer   Jaipur
Gwalior

Medina                          Udaipur
SAUDI ARABIA                           INDIA
                                Narsinghar
Mecca                           Sanchi

                                Nasik
                                Ellora    Hyderabad
                        Mumbai
                        Elephanta            Chitte
                        Mahabaleshwar
                                Thanjavur

                                Madurai        A
                                        SRI
                                        LANKA

SINERIA

MONGOLIA

CHINA

Vladivostok

Peking

Nikko
JAPAN   • Tokyo
Tamano      • Yokosuka
Horyuij

Shanghai

Llasa

ET

Macau

Mandalay
alcutta      VIETNAM
MYANMAR

Pegu
Yangûn
THAILAND

THE PHILIPPINES

Bangkok
• Angkor Wat
CAMBODIA
Cholon

SINGAPORE
Manado
BORNEO
Ternate

Sumatra
Sulawesi

Jakarta
INDONESIA
Borobudur   Java
Bali

| a | Village church, Vladivostok | Dorfkirche, Wladiwostok | Chiesa di paese, Vladivostock | Église d'un village près de Vladivostok | Iglesia de una población de Vladivostok |
| b | The old palace of the Great Khan, Batshi-Serai | Der alte Palast des großen Khan, Batshi-Serai | L'antico palazzo del Grande Khan, Batshi-Serai | Ancien palais du grand Khan, Batshi-Serai | Antiguo palacio del Gran Khan, Batshi-Serai |

Wooden watch tower      Hölzerner Wachturm      Osservatorio di legno      Tour de guet en bois      Torre vigía de madera

Caucasus, c. 1900      

Blue Mosque, Tauri        Blaue Moschee, Tauri        Moschea Blu, Tauri        Mosquée Bleue, Tauri        La mezquita Azul,
                                                                                                           en los montes Tauro

Crimea

Ruins Ruinen Rovine Ruines Ruinas

Tblisi          Tblisi          Tblisi          Tblisi          Tblisi

Georgia, c. 1900

Bridge of the river Khram      Brücke über den Fluss Khram      Ponte del fiume Khram      Un pont sur la rivière Khram      Puente sobre el río Khram

Grave monument, Narshivan      Grabmonument, Narshivan      Monumento funerario, Narshivan      Un tombeau, Narshivan      Monumento mortuorio, Narshivan

Armenia

| | | | | | |
|---|---|---|---|---|---|
| a | Patriarchal church and monastery of Ejmiadzin, 6th century | Patriarchenkirche und Kloster von Ejmiadzin, 6. Jahrhundert | Chiesa patriarcale e monastero di Ejmiadzin, VI secolo | Église patriarcale et monastère d'Ejmiadzin, VIe siècle | Iglesia patriarcal y monasterio de Ejmiadzin, siglo VI |
| b | Harem of Yerevan | Harem von Yerevan | Harem di Yerevan | Harem de Yerevan | Harén en Ereván |
| c | Interior of an Armenian house | Armenisches Haus, innen | Interno di una casa Armena | Intérieur d'une maison arménienne | Interior de una vivienda armenia |

Palace of the Shirvan-Shahs, Baku

Palast des Shirvan-Shahs, Baku

Palazzo del Shirvan-Shahs, Baku

Palais des Shirvan-Shahs, Bakou

Palacio de los shás Shirvan, Bakú

**Azerbaijan, 11th century**

Tower of the Khans and ruins
of the old palace,
Nakhichevan

Turm der Khane und Ruine
des alten Palastes,
Nakichevan

Torre dei Khan e rovine del-
l'antico palazzo, Nakhichevan

Tour des Khans et ruines de
l'ancien palais, Nakhichevan

Torre de los kanes y ruinas
del antiguo palacio en
Nakhichevan

Azerbaijan          Asia  169

| a | House in old Tasjkend | Haus in Alt-Taschkent | Casa nella vecchia Tasjkend | Une maison du vieux Tasjkend | Casa en la antigua Tasjkend |
| b | Ruins | Ruinen | Rovine | Ruines | Ruinas |

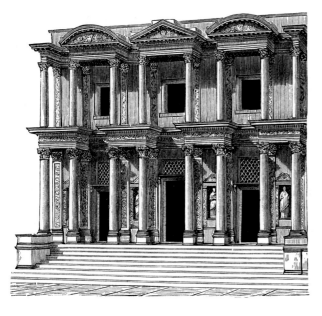

| a | Rock grave, Myra, 5th-3rd century BC | Felsengrab, Myra, 5.-3. Jahrhundert v. Chr. | Tomba nella roccia, Myra, V-III secolo a.C. | Tombeau creusé dans la roche, Myra, V-IIIᵉ siècle av J.-C. | Tumba labrada en la roca, en Myra, siglos V-III a. C. |
| b | Library, Ephesus, 117-120 AD | Bücherei, Ephesus, 117-120 n. Chr. | Biblioteca, Efeso, 117-120 d.C. | Bibliothèque d'Éphèse, 117-120 ap J.-C. | La biblioteca de Éfeso, años 117-120 |
| c | Midas monument, Eskisehir, c. 1200-700 BC | Midasmonument, Eskisehir, um 1200-700 v. Chr. | Monumento di Mida, Eskisehir, ca. 1200-700 a.C. | Monument de Midas, Eskisehir, 1200-700 av J.-C. | Monumento a Midas, Eskisehir, entre 1200-700 a. C. |

**Turkey, 12th century BC-2nd century AD**

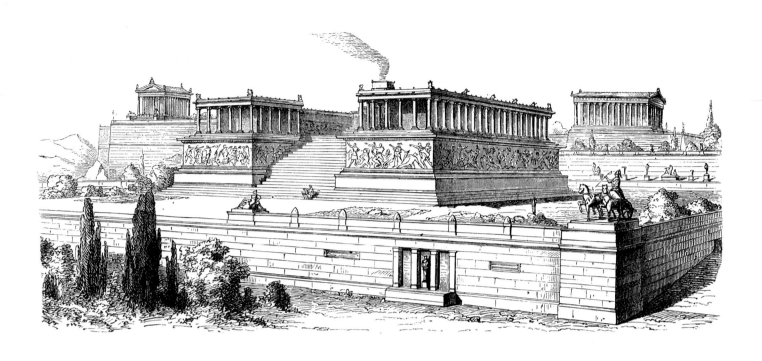

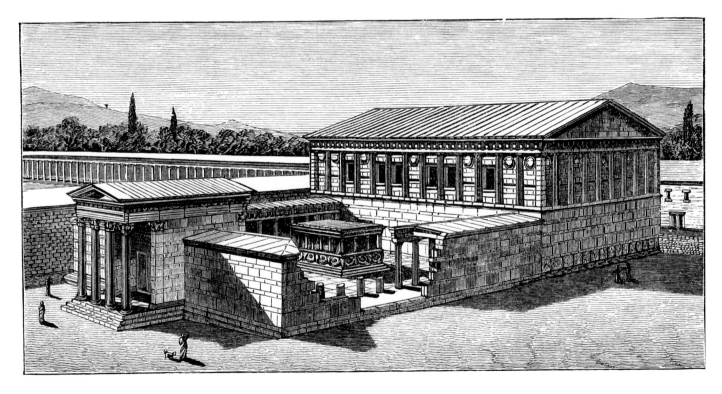

| | | | | |
|---|---|---|---|---|
| a | Pergamum | Pergamum | Pergamo | Pergame | Pérgamo |
| b | Town Hall, Miletus (now Balat), 300-30 BC | Rathaus, Miletus, (heute Balat), 300-30 v. Chr. | Municipio, Mileto (adesso Balat), 300-30 a.C. | Mairie de Miletus (aujour-d'hui Balat), 300-30 av J.-C. | Ayuntamiento de Mileto (actual Balat), 300-30 a. C. |

Church of the Theotokos of
the Pharos, Istanbul

Kirche des Theotokos von
Pharos, Istanbul

Chiesa della Madre di Dio dei
Fari, Istanbul

Église de Theotokos du Phare,
Istanbul

Iglesia de la Theotokos de
Faros, Estambul

Turkey, 9th century

| | | | | |
|---|---|---|---|---|
| a | Blue Mosque, Istanbul, 1609-16, by Mehmed Aga | Die Blaue Moschee, Istanbul, 1609-16, von Mehmed Aga | Moschea Blu, Istanbul, 1609-16, Mehmed Aga | Mosquée bleue d'Istambul, élevée par Mehmed Aga entre 1609 et 1616 | La mezquita Azul, en Estambul, 1609-1616, obra de Mehmed Aga |
| b | Mosque Sultan Bajazet | Moschee Sultan Bajazet | Moschea del Sultano Bajazet | Mosquée du sultan Bajazet | Mezquita del sultán Bajazet |

**Turkey, 17th century**

| a | Aya Sofia, Istanbul, 6th century | Aya Sofia, Istanbul, 6. Jahrhundert | Aya Sofia, Istanbul, VI secolo | Aya Sofia, Istanbul, VIᵉ siècle | Aya Sofía, Estambul, siglo VI |
| b | Mosque of Süleyman I, Istanbul, 1550-57, by Sinan | Süleyman-Moschee, Istanbul, 1550-57, von Sinan | Moschea di Süleyman I, Istanbul, 1550-57, Sinan | Mosquée de Süleyman I à Istanbul, bâtie par Sinan entre 1550 et 1557 | Mezquita de Solimán I, Estambul, 1550-1557, obra de Sinán |

**Turkey, 6-16th century**

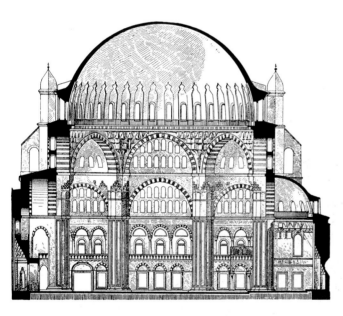

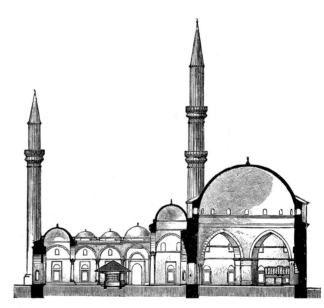

| | | | | | |
|---|---|---|---|---|---|
| a | Mosque of Süleyman I, Istanbul, 1550-57, by Sinan | Süleyman-Moschee, Istanbul, 1550-57, von Sinan | Moschea di Süleyman I, Istanbul, 1550-57, Sinan | Mosquée de Süleyman I à Istanbul, bâtie par Sinan entre 1550 et 1557 | Mezquita de Solimán I, Estambul, 1550-1557, obra de Sinán |
| b | Selimiye Cami, Edirne, 1569-75, by Sinan | Selimiye-Moschee (Selimiye Cadmi), Edirne, 1569-75, von Sinan | Selimiye Cami, Edirne, 1569-75, Sinan | Selimiye Cami, Edirne, œuvre de Sinan réalisée entre 1569 et 1575 | Selimiye Cami, Edirne, 1569-1575, obra de Sinán |
| c | Cross section of mosque, Edirne | Querschnitt der Moschee von Edirne | Sezione trasversale della moschea, Edirne | Coupe transversale de la mosquée d'Edirne | Sección transversal de la mezquita de Edirne |

| a-b | Fountain of Sultan Achmed III, Istanbul, 1728 | Brunnen des Sultans Ahmed III., Istanbul, 1728 | Fontana del Sultano Achmed III, Istanbul, 1728 | Fontaine du Sultan Achmed III, Istanbul, 1728 | Fuente del sultán Achmed III, Estambul, 1728 |

Turkey, 18th century

| a | Bab-us-Selam, Istanbul | Bab al-Salam, Istanbul | Bab-us-Selam, Istanbul | Bab-us-Selam, Istanbul | Bab-us-Selam, Estambul |
|---|---|---|---|---|---|
| b | Street in Istanbul | Straße in Istanbul | Strada di Istanbul | Une rue d'Istanbul | Una calle de Estambul |

| a | Kiosk | Verkaufsstand | Chiosco | Kiosque | Quiosco |
| b | Interior of a palace | Palastinneres | Interno di un palazzo | Intérieur d'un palais | Interior de un palacio |

| a | Palace, Trabzon | Palast in Trabzon | Palazzo, Trabzon | Un palais de Trabzon | Palacio en Trabzon |
| b | Cafe above the water, Samsun | Caféhaus im Wasser, Samsun | Caffè sull'acqua, Samsun | Un café sur l'eau, Samsun | Café con vistas al mar, en Samsun |

Bath of Süleyman, Mosque of Süleyman I, 1550-57, by Sinan

Süleyman-Bad in der Süleyman-Moschee, 1550-57 von Sinan

Bagno di Süleyman, Moschea di Süleyman I, 1550-57, Sinan

Bain de Soliman dans la mosquée de Soliman I, conçue par Sinan entre 1550 et 1557

Baño de Solimán, mezquita de Solimán I, 1550-1557, obra de Sinán

Turkey, 16th century

Tomb of a sultana       Grab einer Sultanin       Tomba di una sultana       Tombe d'une sultane       Tumba de una sultana

| a | Ruins of the temple of Jupiter, Baalbek, 3rd century AD | Ruinen des Jupitertempels, Baalbek, 3. Jahrhundert n. Chr. | Rovine del tempio di Giove, Baalbek, III secolo d.C. | Ruines du temple de Jupiter, Baalbek, IIIe siècle av J.-C. | Ruinas del templo de Júpiter, Baalbek, siglo III |
| b-c | Round temple of Venus, Baalbek | Venus-Rundtempel, Baalbek | Tempio circulare di Venere, Baalbek | Temple circulaire de Vénus, Baalbek | Templo circular de Venus, Baalbek |

Monolithic Khasneh Fir'awn
tomb, Petra

Monolithisches Grab Khasneh
Fir'awn, Petra

Tomba monolitica Khasneh
Fir'awn, Petra

Le temple Khasneh
monolithique, Petra

La Khazné o Casa del Tesoro,
templo monolítico de Petra

| a | Tomb, Lebanon | Grab, Libanon | Tomba, Libano | Une tombe, Liban | Tumba en el Líbano |
| b | Mausoleum, Mylasa, Syria | Mausoleum, Mylasa, Syrien | Mausoleo, Mylasa, Siria | Un mausolée, Mylasa, Syrie | Mausoleo en Mylasa, Siria |
| c | Pidgeon house, North Syria | Pidgeon-Haus, Nordsyrien | Colombaia, Nord della Siria | Un pigeonnier, Syrie du nord | Palomar en el norte de Siria |
| d | Grave façade, Petra, Jordan | Grabfassade, Petra, Jordanien | Facciata di una tomba, Petra, Giordania | Façade d'une tombe à Petra, en Jordanie | Fachada de un mausoleo de Petra, en Jordania |

| a | Sheepfold, Lebanon | Schafspferch, Libanon | Sheepfold, Libano | Un parc à moutons au Liban | Rebaño de ovejas, Líbano |
| b | Wooden shelter | Hölzerner Unterstand | Rifugio in legno | Abri en bois | Refugio de madera |
| c | Encampment, Varamin | Lager, Varamin | Accampamento, Varamin | Campement, Varamin | Campamento en Varamin |
| d | Damascus | Damaskus | Damasco | Damas | Damasco |

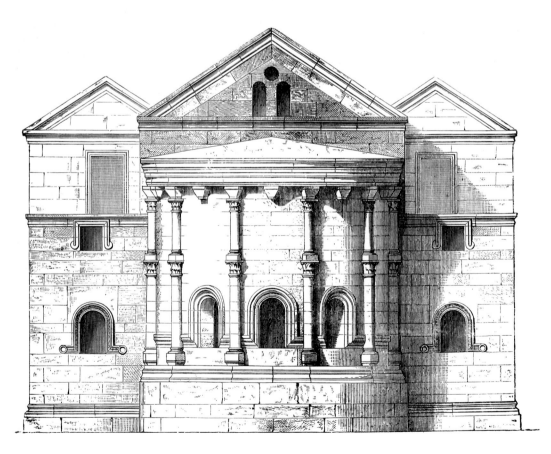

| a-b | Byzantine church | Byzantinische Kirche | Chiesa bizantina | Église byzantine | Iglesia bizantina |

| a-b | Al-Aqsa Mosque, Jerusalem | Moschee Al-Aqsa, Jerusalem | Moschea di Al-Aqsa, Gerusalemme | La mosquée Al-Aqsa, Jérusalem | La mezquita de Al-Aqsa, en Jerusalén |
| c | Vaults under Al-Aqsa Mosque, Jerusalem | Gruften unter der Moschee Al-Aqsa, Jerusalem | Volte sotto la Moschea di Al-Aqsa, Gerusalemme | Voûtes à l'intérieur de la mosquée Al-Aqsa, Jérusalem | Bóvedas del interior de la mezquita de Al-Aqsa, en Jerusalén |

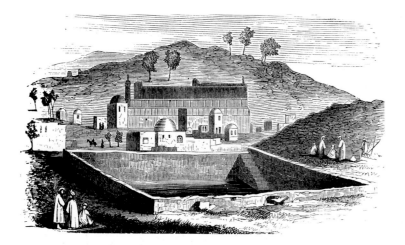

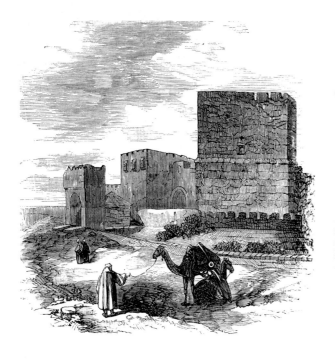

| a-b | House | Haus | Casa | Maison | Vivienda |
| c | Hebron | Hebron | Hebron | Hébron | Hebrón |
| d | Arab house | Arabisches Haus | Casa araba | Maison arabe | Casa árabe |
| e | Tower, Jerusalem | Turm, Jerusalem | Torre, Gerusalemme | Une tour de Jérusalem | Torre en Jerusalén |
| f | Spring of an arch, Jerusalem | Quelle eines Gewölbes, Jerusalem | Molla di un arco, Gerusalemme | Voûte, Jérusalem | Arranque de un arco abovedado, Jerusalén |

Israel

Roof terrace, Jerusalem    Dachterrasse, Jerusalem    Terrazza, Gerusalemme    Une terrasse à Jérusalem    Terraza en Jerusalén

Israel, c. 1900    Asia    191

a-b    Ka'bah, Mecca        Ka'bah, Mekka        Ka'bah, La Mecca        La Ka'bah de La Mecque        La Kasba, en La Meca

Saudi Arabia

| a | Pilgrim tents near Zem-Zem well | Zelte von Pilgern beim Brunnen Zem-Zem | Tende di pellegrini vicino alla parete Zem-Zem | Des tentes de pèlerins près du puits de Zem Zem | Campamento de peregrinos en las proximidades del pozo Zem-Zem |
| b | Pilgrim tents in the valley of Mina | Pilger im Tal von Mina | Tende di pellegrini nella valle di Mina | Des tentes de pèlerins dans la vallée de Mina | Campamento de peregrinos en el valle de Mina |
| c | Pilgrim tents outside Medina city walls | Zelte von Pilgern außerhalb der Stadtmauern von Medina | Tende di pellegrini fuori dalle mura della città di Medina | Des tentes de pèlerins à l'extérieur des remparts de Médine | Campamento de peregrinos a las afueras de las murallas de la Medina |

The Prophet's Mosque,
Medina

Die Moschee des Propheten,
Medina

La Moschea del Profeta

La mosquée du Prophète,
Médine

La mezquita del Profeta,
Medina

Saudi Arabia, 7th century

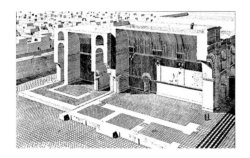

| | | | | | |
|---|---|---|---|---|---|
| a | Harem, Khorsabad | Harem, Khorsabad | Harem, Khorsabad | Un harem de Khorsabad | Harén en Khorsabad |
| b | Ziggurat, Khorsabad | Ziggurat, Khorsabad | Ziggurat, Khrosabad | Une ziggourat, Khorsabad | Zigurat en Khorsabad |
| c | Khorsabad | Khorsabad | Khorsabad | Khorsabad | Khorsabad |
| d | Small temple, Amrith | Kleiner Tempel, Amrith | Piccolo tempio, Amrith | Petit temple, Amrith | Pequeño templo en Amrith |
| e | Relief, Khorsabad | Relief, Khorsabad | Rilievo, Khorsabad | Relief, Khorsabad | Relieve, Khorsabad |
| f | Tomb, Amrith | Grab, Amrith | Tomba, Amrith | Tombe, Amrith | Tumba, Amrith |
| g | Ruins, Hatra | Ruinen, Hatra | Rovine, Hatra | Ruines, Hatra | Ruinas, Hatra |
| h | Restored temple | Restaurierter Tempel | Tempio restaurato | Temple restauré | Templo restaurado |
| i | Pillars of mosque, Samarra, 9th century | Säulen einer Moschee, Samarra, 9. Jahrhundert | Pilastri della moschea, Samarra, IX secolo | Les piliers d'une mosquée à Samarra, IXe siècle | Pilares de la mezquita de Samarra, datados del siglo IX |

| a | City on the banks of the Tigris, Iraq | Stadt am Tigrisufer, Irak | Città sulle rive del Tigri, Iraq | Une ville sur le Tigre, Irak | Ciudad a las orillas del río Tigris, en Iraq |
| b | Nabi Yunus, near Nineveh, Iraq | Nabi Yunus, bei Niniveh, Irak | Nabi Yunus, vicino a Ninive, Iraq | Nabi Yunus, près de Ninive en Irak | Nabi Yunus, en las proximidades de Niniva, Iraq |
| c | Farm house, Iran | Bauernhaus, Iran | Fattoria, Iran | Une ferme en Iran | Una granja en Irán |

Iraq – Iran, c. 1900

Grave of Darius I, Persepolis    Grab des Darius I., Persepolis    Tomba di Dario I, Persepoli    Tombe de Darius I, Persépolis    Tumba de Darío I, Persépolis

Gate of Xerxes, Persepolis        Xerxes-Tor, Persepolis        Porta di Serse, Persepoli        Portail de Xerxes, Persépolis        Puerta de Jerjes, Persépolis

**Iran, 5th century** BC

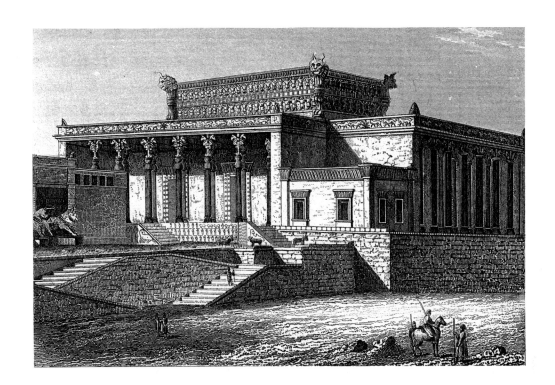

| | | | | | |
|---|---|---|---|---|---|
| **a-b** | Darius the Great's audience hall, Persepolis, 5th century BC | Audienzhalle von Darius dem Großen, Persepolis, 5. Jahrhundert v. Chr. | La sala delle udienze di Dario il Grande, Persepoli, V secolo a.C. | Salle d'audience de Darius le grand, Persépolis, V<sup>e</sup> siècle av J.-C. | Salón de audiciones de Darío el Grande, Persépolis, siglo V a. C. |
| **c-d** | Tomb of Cyrus near Pasargadae, 6th century BC | Grab des Cyrus bei Pasargadae, 6. Jahrhundert v. Chr. | Tomba di Ciro vicino a Pasargadae, VI secolo a.C. | Tombeau de Cyrus près de Pasargadae, VI<sup>e</sup> siècle av J.-C. | Tumba de Ciro cerca de Pasargada, siglo VI a. C. |

Street in Tehran          Straße in Teheran          Strada di Tehran          Une rue de Téhéran          Una calle de Teherán

Iran, c. 1900

| a | Main square, Tehran | Hauptplatz, Teheran | Piazza principale, Tehran | Place principale, Téhéran | Plaza central, en Teherán |
| b-c | Street in Tehran | Straße in Teheran | Strada di Tehran | Une rue de Téhéran | Una calle de Teherán |

**Iran, c. 1900**          Asia   201

The harem of Fat Ali-Shah      Der Harem von Fat Ali-Shah      L'harem di Fat Ali-Shah      Le harem de Fat Ali-Shah      El harén de Fat Ali-Shah

    **Iran, 19th century**

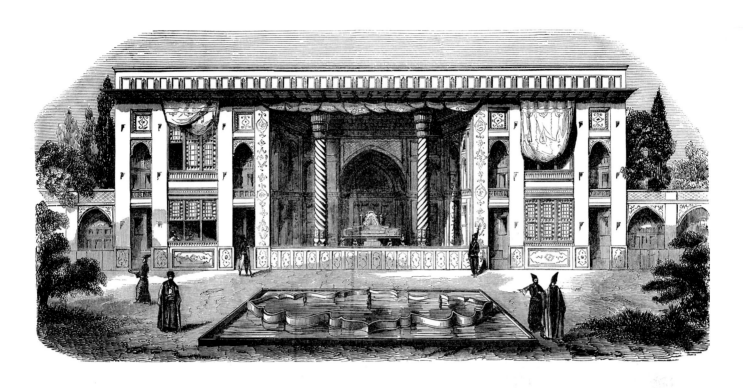

a-b     Palace, Tehran         Palast, Teheran         Palazzo, Tehran         Palais de Téhéran         Palacio en Teherán

 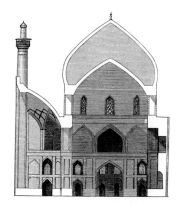 

| a | Tower | Turm | Torre | Tour | Torre |
|---|---|---|---|---|---|
| b | Cross section of a Royal Mosque, Esfahan | Querschnitt der Königsmoschee, Esfahan | Sezione trasversale Moschea Reale, Esfahan | Coupe transversale d'une Mosquée royale, Esfahan | Sección transversal de la mezquita real de Esfahan |
| c | Cross section of a mausoleum, Soltaniyeh | Querschnitt Mausoleum, Soltaniyeh | Sezione trasversale mausoleo, Soltaniyeh | Coupe transversale d'un mausolée, Soltanieh | Sección transversal del mausoleo de Soltanieh |
| d | Masjid-i-shah (Royal Mosque), Esfahan | Masji-shah (Königsmoschee), Esfahan | Masjid-i-shah (Moschea Reale), Esfahan | Masjid-i-shah (Mosquée royale), Esfahan | Masjid-i-shah (mezquita real), Esfahan |
| e | Meydan-i-shah (Royal Square), Esfahan | Meydan-i-shah (Königsplatz), Esfahan | Meydan-i-shah (Moschea Reale), Esfahan | Meydan-i-shah (Place royale), Esfahan | Meydan-i-shah (plaza real), Esfahan |

**Iran, 17th century**

a-c      Esfahan          Esfahan          Esfahan          Esfahan          Esfahan

Iran, c. 1900         

Shrine of Imam Ali ar-Risa
Meshed, c. 818

Schrein von Ali ar-Reza,
Meshed, um 818

Tempio dell'Imam Ali ar-Risa
Meshed, c. 818

Mausolée de l'imam Ali
ar-Risa à Meshed, vers 818

Santuario del imán Ali ar-Risa
Meshed, hacia el año 818

Iran, 9th century

a-b      Soltaniyeh          Soltaniyeh          Sotaniyeh          Soltanieh          Soltanieh

**a-b**  Mosque near Soltaniyeh   Moschee bei Soltaniyeh   Moschea vicino a Soltaniyeh   Mosquée près de Soltanieh   Mezquita cerca de Soltanieh

| | | | | | |
|---|---|---|---|---|---|
| a | Mosque near Soltaniyeh | Moschee bei Soltaniyeh | Moschea vicino a Soltaniyeh | Mosquée près de Soltanieh | Mezquita cerca de Soltanieh |
| b | Tomb, Soltaniyeh | Grab, Soltaniyeh | Tomba, Soltaniyeh | Tombe, Soltanieh | Tumba en Soltanieh |
| c | Mosque, Soltaniyeh | Moschee, Soltaniyeh | Moschea, Soltaniyeh | Mosquée, Soltanieh | Mezquita en Soltanieh |

| a | Mausoleum, Kazvin | Mausoleum, Kazvin | Mausoleo, Kazvin | Mausolée, Kazvin | Mausoleo en Kazvin |
|---|---|---|---|---|---|
| b | Wate reservoir, Kazvin | Wasserzisterne, Kazvin | Bacino d'acqua, Kazvin | Réservoir d'eau, Kazvin | Depósito de agua en Kazvin |

Iran

| a | Tomb of Abbas II | Grab von Abba II | Tomba di Abbas II | Tombe d'Abbas II | Tumba de Abbas II |
| b | Tomb of Sefi I | Grab von Sefi I | Tomba di Sefi I | Tombe de Sefi I | Tumba de Sefi I |
| c | Takht-i-Qajar | Takht-i-Qajar | Takht-i-Qajar | Takht-i-Qajar | Takht-i-Qajar |
| d | Palace of Abbas Mirza | Palast von Abbas Mirza | Palazzo di Abbas Mirza | Palais d'Abbas Mirza | Palacio de Abbas Mirza |

Hamadan       Hamadan       Hamadan       Hamadhan       Hamadan

**Iran, c. 1900**

| a | Varamin, c. 1900 | Varamin, um 1900 | Varamin, ca. 1900 | Varamin vers 1900 | Varamin, hacia el año 1900 |
| b | Tomb of Hafez, Shiraz, 14th century | Grab von Hafez, Schiras, 14. Jahrhundert | Tomba di Hafez, Shiraz, XIV secolo | Tombe d'Hafez, Shiraz, XIVe siècle | Tumba de Hafez, en Shiraz, siglo XIV |

**Iran, 14-19th century**

| a, c | Ruins of a tower | Turmruinen | Rovine di una torre | Vestiges d'une tour | Torre en ruinas |
| --- | --- | --- | --- | --- | --- |
| b | Minaret, 10-12th century | Minarett, 10.-12. Jahrhundert | Minareto, x-xII secolo | Un minaret construit entre le xᵉ et le xIIᵉ siècle | Minarete construido entre los siglos x y xII |

**Iran, 10-12th century**

214 Asia

| a | City gate, Tauris | Stadttor, Tauris | Porta della città, Tabris | Entrée de la ville de Tabris | Puerta de la ciudad de Tabriz |
| b | Ruins of a mosque, Tauris | Ruine einer Moschee, Tauris | Rovine di una moschea, Tabris | Vestiges d'une mosquée, Tabris | Restos de una mezquita de Tabriz |

| a-c | Bridge | Brücke | Ponte | Pont | Puente |

Iran

**a-d**     Bridge           Brücke          Ponte          Pont         Puente

| Mosque | Moschee | Moschea | Mosquée | Mezquita |

Iran

Caravanserai, Kashan     Karawanserei, Kashan     Caravanserraglio, Kashan     Caravansérail, Kashan     Caravanera, Kashan

**Iran, c. 1900**

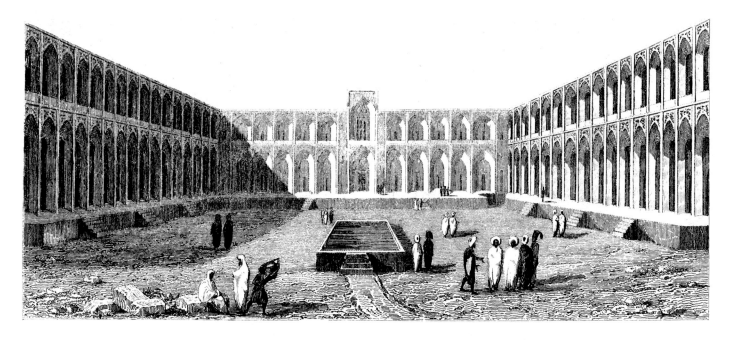

| a | Caravanserai | Karawanserei | Caravanserraglio | Caravansérail | Caravanera |
| b | Caravanserai, Kashan | Karawanserei, Kashan | Caravanserraglio, Kashan | Caravansérail, Kashan | Caravanera, Kashan |

Iran

| a | Caravanserai | Karawanserei | Caravanserraglio | Caravansérail | Caravanera |
| b | Mausoleum | Mausoleum | Mausoleo | Mausolée | Mausoleo |

| a | Attock | Attock | Attok | Attock | Attock |
|---|--------|--------|-------|--------|--------|
| b | Street in Afghanistan | Straße in Afghanistan | Strada in Afghanistan | Une rue en Afghanistan | Una calle de Afganistán |

Afghanistan, c. 1900

Temple in Lahore     Tempel in Lahore     Tempio a Lahore     Un temple de Lahore     Templo en Lahore

**Pakistan, c. 1900**

| a | Temples on the banks of the Ganges | Tempel am Gangesufer | Templi sulle rive del Gange | Temples sur les rives du Gange | Templos a orillas del río Ganges |
| b | Building near Varanasi | Gebäude bei Varanasi | Costruzione vicino a Varanasi | Un édifice près de Varanasi | Edificio cerca de Benares |
| c | Temple on the banks of the Ganges | Tempel am Gangesufer | Tempio sulle rive del Gange | Un temple sur les rives du Gange | Templo a orillas del río Ganges |

**India, West-Bengal**

| a | Chandernagore | Chandernagore | Chandernagore | Chandernagor | Chandernagore |
| b | Palace of the Governor General of India, Calcutta | Palast des Generalgouverneurs von Indien, Kalkutta | Palazzo del Governatore Generale dell'India, Calcutta | Palais du gouverneur général de l'Inde, Calcutta | Palacio del gobernador general de la India, en Calcuta |
| c | Colonial building, Calcutta | Kolonialbau, Kalkutta | Edificio coloniale, Calcutta | Édifice colonial, Calcutta | Edificio colonial, Calcuta |

| a | Imam-barah of Hooghly-Chinsura, Calcutta | Imam-Barah von Hooghly-Chinsura, Kalkutta | Imam-barah di Hooghly-Chinsura, Calcutta | Mosquée imam-barah de Hooghly-Chinsura, près de Calcutta | Mezquita del Imambara de Hugli-Chunchura, en Calcuta |
|---|---|---|---|---|---|
| b | Temple of Kali at Kali-ghat, Calcutta | Kalitempel des Kalit-Ghat, Kalkutta | Tempio di Cali a Kali-ghat, Calcutta | Temple de Kali à Kali-ghat, près de Calcutta | Templo de Kali en Kalighat, Calcuta |
| c | Bengali village on the banks of the Ganges | Bengali-Dorf am Gangesufer | Villaggio bengalese sulle rive del Gange | Village bengali sur les rives du Gange | Población bengalí a orillas del río Ganges |

**India, West-Bengal**

Pagan temple　　　Heidnischer Tempel　　　Tempio pagano　　　Temple païen　　　Templo pagano

**India, Uttar Pradesh, c. 1900**　　　　Asia　227

| a-b | Mausoleum of the etmaddaolah, Agra | Mausoleum von Etmaddaolah, Agra | Mausoleo dell'entmaddaolah, Agra | Mausolée d'Itmad-ud-Daulah, province d'Agra | Mausoleo de Itmad-ud-Daulah, en Agra |
| c | Gate in the garden of the Taj Mahal, Agra | Tor im Garten des Taj Mahal, Agra | Porta nel giardino del Taj Mahal, Agra | Une entrée du jardin du Taj Mahal, Agra | Entrada a los jardines del Taj Mahal, en Agra |
| d | Taj Mahal, Agra | Taj Mahal, Agra | Taj Mahal, Agra | Le Taj Mahal, Agra | El Taj Mahal, en Agra |
| e | Gate in the garden of the tomb of Akbar, Sikandra | Tor im Garten des Grabmals von Akbar, Sikandra | Porta nel giardino della tomba di Akbar, Sikandra | Une entrée du jardin du tombeau d'Akbar, Sikandra | Entrada al jardín del sepulcro de Akbar, en Sikandra |
| f | Tomb of Akbar, Sikandra | Grab von Akbar, Sikandra | Tomba di Akbar, Sikandra | Tombeau d'Akbar, Sikandra | Tumba de Akbar, en Sikandra |

| a | Victory of the Jami' Masjid, Fatehpur Sikri, 1571 | Sieg des Jama Masjid, Fatehpur Sikri, 1571 | Vittoria del Jami' Masjid, Fatehpur Sikri, 1571 | Mosquée Jami' Masjid, Fatehpur Sikri, 1571 | La gran mezquita Jama Masjid, Fatehpur Sikri, 1571 |
| b | Tomb for Chisti, Fatehpur Sikri, 1571 | Grabstätte des Moslemheiligen Christi, Fatehpur Sikri 1571 | Tomba di Chisti, Fatehpur Sikri, 1571 | Tombe pour Chisti, Fatehpur Sikri, 1571 | Tumba para Chisti, Fatehpur Sikri, 1571 |

**India, Uttar Pradesh, 16th century**

| a | Palace of Akbar's wife, Fatehpur Sikri | Palast der Gattin von Akbar, Fatehpur Sikri | Palazzo della moglie di Akbar, Fatehpur Sikri | Palais de l'épouse d'Akbar à Fatehpur Sikri | Palacio de la esposa de Akbar, en Fatehpur Sikri |
| b | The Pantch Mahal, Fatehpur Sikri | Der Panch Mahal, Fatehpur Sikri | Il Pantch Mahal, Fatehpur Sikri | Le Panch Mahal à Fatehpur Sikri | El Pantch Mahal, en Fatehpur Sikri |

Stupa of Sarnath    Stupa von Sarnath    Stupa di Sarnath    Stûpa de Sarnath    Estupa de Sarnath

**India, Uttar Pradesh**

a-b  The Great Imambara, Lucknow, 1784     Das große Imambara, Lucknow, 1784     La Grande Imambara, Lucknow, 1784     Le grand Imambara, Lucknow, 1784     El gran Imambara, Lucknow, 1784

India, Uttar Pradesh, 18th century    

| **a-b** | Ghat in Varanasi | Ghat in Varanasi | Ghat a Varanasi | Un ghat à Varanasi | Embarcadero en Varanasi |

India, Uttar Pradesh, c. 1900

| | | | | | |
|---|---|---|---|---|---|
| a | Temple of Ambarnath, near Mumbai, 11 th century | Tempel von Ambarnath, bei Mumbai, 11. Jahrhundert | Tempio di Ambarnath, vicino Mumbai, XI secolo | Temple d'Ambarnath, près de Mumbai, XIᵉ siècle | Templo de Ambarnath, cerca de Mumbai, siglo XI |
| b | Nasik, a place of pilgrimage on the Godavari river | Masik, ein Pilgerort am Fluss Godavari | Nasik, un luogo di pellegrinaggio sul fiume Godavari | Nasik, lieu de pèlerinage sur la rivière Godavari | Nasik, lugar de peregrinaje sobre el río Godavari |
| c | Mahabaleshwar | Mahabaleshwar | Mahabaleshwar | Mahabaleshwar | Mahabaleshwar |

**India, Maharashtra, 11th century**

| a | Temple, Ellora | Tempel, Ellora | Tempio, Ellora | Temple à Ellora | Templo en Ellora |
| b | Chaitya, Karli | Chaitya, Karla | Chaitya, Karli | Le chaitya de Karli | El chaitya, en Karli |

India, Maharashtra

Interior of the chaitya, Karli     Inneres einer Chaitya, Karla     Interno della chaitya, Karli     Intérieur du chaitya de Karli     Interior del chaitya de Karli

**India, Maharashtra**

Chaitya, Kanheri caves     Chaitya, Kanheri-Höhlen     Chaitya, Grotte di Kanheri     Un chaitya, grottes de Kanheri     Chaitya, grutas de Kanheri

    **India, Maharashtra, 6th century**

Buddhist vihara (monastery) cave, Kanheri caves

Buddhistische Vihara-Höhle (Kloster), Kanheri-Höhlen

Grotta Vihara buddista (monastero), Grotte di Kanheri

Vihara (monastère) bouddhiste , grottes de Kanheri

Vihara (monasterio) budista, en las grutas de Kanheri

India, Maharashtra, 200-900          Asia  239

| a-b | Cave temple, Elephanta | Höhlentempel, Elephanta | Tempio in una grotta, Elephanta | Temple situé dans une grotte, Elephanta | Templo en las grutas de Elefanta |

India, Maharashtra, 8-9th century

| a | Cotton market, Mumbai | Baumwollmarkt, Mumbai | Mercato del cotone, Mumbai | Marché de coton à Mumbai | Mercado de algodón en Mumbai |
| b | Town Hall, Mumbai | Rathaus, Mumbai | Municipio, Mumbai | Mairie de Mumbai | Ayuntamiento de Mumbai |

**India, Maharashtra, c. 1900**

Pagoda, Pondicherry          Pagode, Pondicherry          Pagoda, Pondicherry          Pagode, Pondichéry          Pagoda, Pondicherry

India, Tamil Nadu

| a | Square, Pondicherry, c. 1900 | Platz in Pondicherry, um 1900 | Piazza, Pondicherry, ca. 1900 | Une place de Pondichéry vers l'année 1900 | Plaza en Pondicherry, hacia el año 1900 |
|---|---|---|---|---|---|
| b | Minaksi-Sundaresvara temple, 16-17th century | Meenakshi-Sundareswara-Tempel, 16.-17. Jahrhundert | Tempio Minaksi-Sundaresvara, XVI-XVII secolo | Temple de Minaksi-Sundaresvara, XVI-XVIIᵉ siècle | Templo de Minaksi-Sundaresvara, siglos XVI-XVII |

Thousand-pillared hall, Madurai

Tausend-Säulen-Halle, Madurai

Sala dei mille pilastri, Madurai

La salle aux mille colonnes, Madurai

La sala de las Mil Columnas, Madurai

**India, Tamil Nadu, 16-17th century**

| a | Branhadisvara temple, Thanjavur, c. 1000 | Brihadesvara-Tempel, Thanjavur, um 1000 | Tempio Branhadisvara, Thanjavur, ca. 1000 | Temple Branhadisvara, Thanjavur, vers l'an 1000 | Templo Branhadisvara, Thanjavur, hacia el año 1000 |
|---|---|---|---|---|---|
| b | Temple, Kanchipuram | Tempel in Kanchipuram | Tempio, Kanchipuram | Temple, Kanchipuram | Templo en Kanchipuram |
| c | Pagodas, Eagle's Hill, Chennai | Pagoden, Adlerberg, Chennai | Pagode, Collina dell'Aquila, Chennai | Pagodes, Eagle's Hill, Chennai | Pagodas, Eagle's Hill, Chennai |

Vihara temple, Gwalior     Vihara-Tempel, Gwalior     Tempio vihara, Gwalior     Temple vihara, Gwalior     Templo vihara en Gwalior

India, Madya Pradesh

| a | Tirthankara Cave, Gwalior | Tirthankara-Höhle, Gwalior | Grotta di Tirthankara, Gwalior | Grotte Tirthankara, Gwalior | Gruta Tirthankara, Gwalior |
|---|---|---|---|---|---|
| b | Atrium of the Great Sas-Bahu temple, Gwalior, 1093 | Atrium des großen Sas-Bahu-Tempels, Gwalior, 1093 | Atrio del gran tempio Sas-Bahu, Gwalior, 1093 | L'atrium du grand temple de Sas-Bahu, Gwalior, 1093 | Atrio del gran templo de Sas-Bahu, Gwalior, 1093 |

**India, Madhya Pradesh, 11th century**

Man Mandir palace, Gwalior, 1486-1516

Man-Mandir-Palast, Gwalior, 1486-1516

Palazzo Man Mandir, Gwalior 1486-1516

Palais de Man Mandir, Gwalior, 1486-1516

Palacio de Man Mandir, Gwalior, 1486-1516

India, Madhya Pradesh, 15-16th century

| a | Tomb of Ghaus Muhamad, Gwalior, 16th century | Grab des Ghaus Muhamad, 16. Jahrhundert | Tomba di Ghaus Muhamad, Gwalior, XVI secolo | Tombe de Ghaus Muhamad, Gwalior, XVIᵉ siècle | Tumba de Ghaus Muhamad, Gwalior, siglo XVI |
|---|---|---|---|---|---|
| b | Royal Chattri, Gwalior | Königliches Chattri, Gwalior | Royal Chattri, Gwalior | Chattri royal, Gwalior | Chattri real, Gwalior |

Mausolea, Gwalior        Mausoleum, Gwalior        Mausoleo, Gwalior        Mausolée de Gwalior        Mausoleo en Gwalior

India, Madhya Pradesh

Temple, Narsingharh    Tempel in Narsingharh    Tempio, Nasingharh    Temple de Narsingharh    Templo en Narsinghgarh

India, Madhya Pradesh

| **a-b** | Kali temple, Khajuraho | Kalitempel, Khajuraho | Tempio di Cali, Khajuraho | Temple kali, Khajuraho | Templo erigido en honor a la diosa Kali en Khajuraho |

India, Madhya Pradesh, 11th century

Mahdeva temple, c. 1025-1050, Khajuraho

Mahdeva Tempel, um 1025 -1050, Khajuraho

Tempio Mahdeva, ca. 1025-1050, Khajuraho

Temple mahdeva, 1025-1050, Khajuraho

Templo Mahdeva, entre 1025 y 1050, Khajuraho

**India, Madhya Pradesh, 11th century**

| a | Raj Mahal (Royal Palace), Orchha | Raj Mahal (Königlicher Palast), Orcha | Raj Mahal (Palazzo Reale), Orchha | Raj Mahal (Palais royal), Orchha | El Raj Mahal (Palacio Real), Orchha |
|---|---|---|---|---|---|
| b | Chaturbhuj temple, Orchha | Chaturbhuj-Tempel, Orcha | Tempio di Chturbhuj, Orchha | Temple chaturbhuj, Orchha | Templo de Chaturbhuj, Orchha |

India, Madhya Pradesh, 16th century

| a | Citadel of Orchha, 16th century | Zitadelle von Orcha, 16. Jahrhundert | Cittadella di Orchha, XVI secolo | Citadelle d'Orchha, XVIe siècle | Ciudadela de Orchha, siglo XVI |
| b | Govind Mandir Palace, Datia, c. 1620, Bir Singh Deo | Palast Govind Mandir, Datia, um 1620, Bir Singh Deo | Palazzo Govind Mandir, Datia, ca. 1620, Bir Singh Deo | Palais de Govind Mandir, Datia, vers 1620, Bir Singh Deo | Palacio de Govinda Mandir, Datia, hacia el año 1620, Bir Singh Deo |

Eastern gateway of the Great
Stupa of Sanchi

Osttor der Großen Stupa von
Sanchi

Porta orientale del Grande
Stupa di Sanchi

Entrée est du grand
Stûpa de Sanchi

Entrada este a la Gran
Estupa de Sanchi

India, Madhya Pradesh, 3rd century BC-2nd century AD

Northern gateway of the
Great Stupa of Sanchi

Nordtor der Großen Stupa
von Sanchi

Porta settentrionale del
Grande Stupa di Sanchi

Entrée nord du grand
Stûpa de Sanchi

Entrada norte a la Gran
Estupa de Sanchi

India, Madhya Pradesh, 3rd century BC-2nd century AD

| a | The Great Stupa of Sanchi, 3rd century BC-2nd century AD | Die Große Stupa von Sanchi, 3. Jahrhundert v. Chr. - 2. Jahrhundert n. Chr. | Il Grande Stupa di Sanchi, III secolo a.C. – II secolo d.C. | Le grand Stûpa de Sanchi, entre le IIIe siècle av J.-C. et le IIe siècle ap J.-C. | La Gran Estupa de Sanchi, erigida entre el siglo III a. C. y el siglo II d. C. |
| b-c | Udaygiri caves, c. 400 BC | Höhlen von Udaygiri, um 400 v | Grotte di Udaygiri, ca. 400 a.C. | Grottes d'Udaygiri, vers 400 av J.-C. | Cavernas de Udaygiri, hacia el año 400 a. C. |

India, Madhya Pradesh, 3rd century BC-2nd century AD

The Khirat Khoumd tower, Chittoor

Der Turm Khirat Khoumd, Chittoor

La torre di Khirat Khoumd, Chittoor

La tour Khirat Khoumd, Chittoor

La torre Khirat Khoumd, Chittoor

India, Andhra Pradesh

| a | Qutb Shahi tombs, Golconda | Gräber der Qutb Shahi, Golconda | Tomba Qutb Shahi, Golconda | Tombes de Qutb Shahi, Golconda | Tumbas de Qutb Shahi, Golconda |
| b | Tomb at the Qutb Shahi tombs complex, Golconda | Grab innerhalb des Qutb Shahi Grabkomplexes, Golconda | Tomba nel complesso funerario di Qutb Shahi, Golconda | Une tombe du complexe funéraire de Qutb Shahi, Golconda | Tumba en el complejo funerario de Qutb Shahi, Golconda |

**India, Andhra Pradesh, 17th century**

Palace of the English resident, Hyderabad

Palast des englischen Regierungsvertreters, Hyderabad

Palazzo del residente inglese, Hyderabad

Palais du représentant anglais, Hyderabad

Palacio presidencial inglés en Hyderabad

India, Andhra Pradesh, c. 1900

| a | Gopal Bavan palace, Deeg, 1763 | Palast Gopal Bavan, Deeg, 1763 | Palazzo Gopal Bavan, Deeg, 1763 | Palais Gopal Bavan, Deeg, 1763 | Palacio Gopal Bavan, Deeg, 1763 |
|---|---|---|---|---|---|
| b | Keshav Bharan pavilion, Deeg, 18th century | Pavillon Keshav Bharan, Deeg, 18. Jahrhundert | Padiglione Keshav Bavan, Deeg, XVIII secolo | Pavillon Keshav Bhawan, Deeg, XVIIIᵉ siècle | Pabellón Keshav Bharan, Deeg, siglo XVIII |

India, Rajasthan, 18th century

| a | Palace, Bharatpur | Palast in Bharatpur | Palazzo, Bharatpur | Palais de Bharatpur | Palacio en Bharatpur |
| b | Temple, Dholpur | Tempel in Dholpur | Tempio, Dholpur | Temple de Dholpur | Templo en Dholpur |

| a, c | Royal temples, Alwar, 1848 | Königliche Tempel, Alwar, 1848 | Tempi reali, Alwar, 1848 | Temples royaux, Alwar, 1848 | Templos reales, Alwar, 1848 |
| b | Mausoleum of tarang Sultan, Alwar, 14th century | Mausoleum des Tarang Sultan, Alwar, 14. Jahrhundert | Mausoleo del Sultano tarang, Alwar, XIV secolo | Mausolée du sultan Tarang, Alwar, XIVᵉ siècle | Mausoleo del sultán Tarang, Alwar, siglo XIV |

**India, Rajastan, 14-19th century**

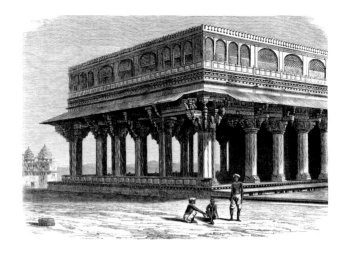

| a | Jantar Mantar (observatory), Jaipur, 1728-34 | Jantar Mantar (Observatorium), Jaipur, 1728-34 | Jantar Mantar (osservatorio), Jaipur, 1728-34 | Jantar Mantar (observatoire), Jaipur, 1728-34 | Jantar Mantar (observatorio), Jaipur, 1728-1734 |
|---|---|---|---|---|---|
| b | Diwan-i-Kas (hall of private audience), Jaipur, c. 1730 | Diwan-i-Kha (Privataudienzsaal), Jaipur, um 1730 | Diwan-i-Kas (sala delle udienze private), Jaipur, ca. 1730 | Diwan-i-Kas (hall d'audience privée), Jaipur, vers 1730 | Diwan-i-Kas (salón de audiencias privadas), Jaipur, hacia el año 1730 |
| c | Gateway, City Palace, Jaipur, 1728-32 | Eingangstor, Stadtpalast von Jaipur, 1728-32 | Ingresso, Palazzo della Città, Jaipur, 1728-32 | Entrée du City Palace, Jaipur, 1728-32 | Entrada al palacio de la Ciudad, Jaipur, 1728-1732 |

**India, Rajasthan, 18th century**

| Rama temple, Pushkar | Rama-Tempel, Pushkar | Tempio Rama, Pushkar | Temple de Rama, Pushkar | Templo dedicado a Rama, en Pushkar |

**India, Rajasthan**

Court of the palace of the
Maharana, Udaipur

Hof des Palastes des
Maharana von Udaipur

Cortile del palazzo del
Maharana, Udaipur

Cour du palais du
Maharajah, Udaipur

Patio del palacio del
Maharajá, en Udaipur

India, c. 1900

Street in Ajmer  Straßen im Ajmer  Strada di Ajmer  Une rue d'Ajmer  Una calle de Ajmer

India, Rajasthan, c. 1900

Corner house, Ajmer          Eckhaus in Ajmer          Casa d'angolo, Ajmer          Une maison dans Ajmer          Una casa en Ajmer

India, Rajasthan, c. 1900

| a | Jama-at-Khana Mosque, 1325 | Moschee Jama-at-Khana, 1325 | Moschea di Jama-at-Khana, 1325 | Mosquée Jama-at-Khana, 1325 | Mezquita de Jama-at-Khana, 1325 |
|---|---|---|---|---|---|
| b | Palace, Delhi | Palast in Dehli | Palazzo, Delhi | Un palais de Delhi | Palacio en Delhi |
| c | Delhi, c. 1900 | Dehli, um 1900 | Delhi, ca. 1900 | Delhi vers 1900 | Delhi, hacia el año 1900 |

**Delhi, 14-20th century**

| Diwan-i-Kas, Royal Palace, Delhi | Diwan-i-Khas im Königlichen Palast, Dehli | Diwan-i-Kas, Palazzo Reale, Delhi | Diwan-i-Kas, Palais royal, Delhi | Diwan-i-Kas, Palacio Real, Delhi |

| a | Tomb of Ghiyas'ud-Din Tughluq, Tughluqabad, 14th century | Grab von Ghiyas'ud-Din Tughluq, Tughluqabad, 14. Jahrhundert | Tomba di Ghiyas'ud-Din Tughluq, Tughluqabad, XIV secolo | Tombe de Ghiyas'ud-Din Tughluq, Tughluqabad, XIVe siècle | Tumba de Ghiyas'ud-Din Tughluq, en Tughluqabad, siglo XIV |
| b | Hamayun's tomb, near Delhi, 1564-73 | Grab des Hamayun bei Dehli, 1564-73 | Tomba di Hamayun, vicino a Delhi, 1564-73 | Tombeau d'Hamayun près de Delhi, 1564-73 | Tumba de Humayun, cerca de Delhi, 1564-1573 |

India, Delhi, 14-16th century

| | | | | | |
|---|---|---|---|---|---|
| **a, c-d** | Iron gupta pillar in the court-yard of the Quwwat-ul-Islam mosque, Delhi, 4th century | Eiserne Guptasäule im Hof der Moschee Quwwat-ul-Islam, Dehli, 4. Jahrhundert | Colonna gupta in ferro nel cortile della moschea Quwwat-ul-islam, Delhi, IV secolo | Colonne d'acier Gupta dans la cour de la mosquée Quwwat-ul-Islam, Delhi, IVe siècle | Columna de acero Gupta, en el atrio de la mezquita Quwwat-ul-Islam, Delhi, siglo IV |
| **b** | Mosque of Iltutmish in the Qutb Minar complex, 12th century | Moschee des Iltutmish in der Anlage Qutb Minar, 12. Jahrhundert | Moschea di Iltutmish nel complesso di Qutb Minar, XII secolo | Mosquée d'Iltutmish dans le complexe Qutb Minar, XIIe siècle | Mezquita de Iltutmish en el complejo Qutb Minar, siglo XII |

**India, Delhi, 4-12th century**

Tomb of Iltutmish in the Qutb
Minar complex, 1210-36

Grab des Iltutmish in der
Anlage Qutb Minar, 1210-36

Tomba di Iltutmish nel comp-
lesso di Qutb Minar, 1210-36

Tombe d'Iltutmish dans le com-
plexe de Qutb Minar, 1210-36

Sepulcro de Iltutmish,
en el complejo de Qutb
Minar, 1210-1236

India, Delhi, 13th century

Mosque in the Qutb Minar
complex,12-14th century

Moschee in der Anlage Qutb
Minar, 12.-14. Jahrhundert

Moschea nel complesso di
Qutb Minar, XII-XIV secolo

Mosquée du complexe Qutb
Minar, XII-XIVᵉ siècle

Mezquita en el complejo de
Qutb Minar, siglos XII-XIV

| a | Fort of Tughluqabad, 14th century | Festung von Tughluqabad, 14. Jahrhundert | Forte di Tughluqabad, XIV secolo | Fort de Tughluqabad, XIVᵉ siècle | Fuerte de Tughluqabad, siglo XIV |
| b | Kotla Firoz Shah, citadel of Firozabad, Delhi, 1351 | Kotla Firoz Shah, Zitadelle von Firozabad, Dehli, 1351 | Kotla Firoz Shah, cittadella di Firozabad, Delhi, 1351 | Kotla Firoz Shah, citadelle de Firozabad, Delhi, 1351 | Kotla Firoz Shah, ciudadela de Firozabad, Delhi, 1351 |

India, Delhi, 14th century

Golden Temple, Amritsar,
1589-1601

Goldener Tempel, Amritsar,
1589-1601

Tempio Dorato, Amritsar,
1589-1601

Le temple d'Or d'Amritsar,
1589-1601

El templo de Oro de Amritsar,
1589-1601

India, Punjab, c. 1600

| a-b | Palace courtyard, Gowindargh | Palasthof, Godwindargh | Cortile del palazzo, Gowindargh | Cour d'un palais à Gowindargh | Patio de un palacio en Gowindargh |

India, Punjab

| | | | | | |
|---|---|---|---|---|---|
| a | Jagannatha temple, Puri | Jagannatha-Tempel, Puri | Tempio di Jagannatha, Puri | Temple de Jagannatha, Puri | Templo Jagannatha, Puri |
| b | Satrughnesvara temple group, Bhubaneshwar, 6th century | Tempelgruppe von Satrughnesvara, Bhubaneshwar, 6. Jahrhundert | Gruppo di templi Satrughnesvara, VI secolo | Complexe de temples Satrughnesvara, Bhubaneshwar, VIᵉ siècle | Complejo de templos de Satrughnesvara, Bhubaneshwar, siglo VI |

| a | The idol of Mandar, near Bhagalpur | Das Idol von Mandar bei Bhagalpur | L'idolo di Mandar, vicino a Bhagalpur | L'idole de Mandar, près de Bhagalpur | El ídolo de Mandar, en las proximidades de Bhagalpur |
| b | Village in the Rajmahal Hills | Dorf in den Rajmahal-Bergen | Villaggio nelle colline del Rajmahal | Village près des collines de Rajmahal | Población en las colinas de Rajmahal |

India, Bihar

Temple in the Himalaya        Tempel im Himalaya        Tempio nell'Imalaya        Temple dans l'Himalaya        Templo en el Himalaya

India, Himachal Pradesh, c. 1900                                                    Asia 281

Nicobar islands    Die Inselgruppe der    Isole Nicobar    Les îles Nicobar    Las islas Nicobar
                   Nicobaren

India, Nicobar islands, c. 1900

| a | Temple of Jura-Wana-rama | Jura-Wana-Rama-Tempel | Tempio di Juara-Wana-rama | Temple de Jura-Wana-rama | Temple de Jura-Wana-rama |
| b | Temple of Maha Vihara, Anuradhapura | Tempel von Maha Vihara, Anuradhapura | Tempio di Maha Vihara, Anuradhapura | Temple de Maha Vihara, Anuradhapura | Templo de Maha Vihara, en Anuradhapura |

Potala convent, Tibet
17th century

Kloster des Potala, Tibet,
17. Jahrhundert

Convento di Potala, Tibet,
XVII secolo

Couvent du Potala, Tibet,
XVIIᵉ siècle

Centro budista de Potala, en
el Tíbet, siglo XVII

Tibet, 17th century

Llasa       Lhasa       Llasa       Lhassa       Lhasa

**Tibet, c. 1900**      

Monastery, Chigatze          Kloster in Chigatse          Monastero, Chigatze          Monastère, Chigatze          Monasterio en Chigatze

China

Kansu, fortified villages near Lan-chou

Kansu, befestigtes Dorf bei Lan-Chou

Kansu, villaggi fortificati vicino a Lan-chou

Kansu, villages fortifiés près de Lan-chou

La fortaleza de Kansu, en las proximidades de Lan-Chou

China

The Great Wall          Die Chinesische Mauer          La Grande Muraglia          La Grande Muraille          La Gran Muralla

China, 7-4th century BC

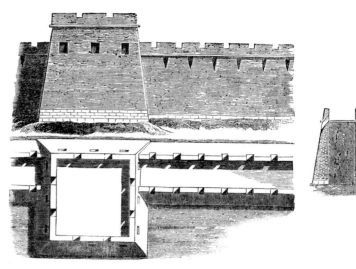

| a, c | The Great Wall | Die Chinesische Mauer | La Grande Muraglia | La Grande Muraille | La Gran Muralla |
|------|----------------|------------------------|--------------------|--------------------|-----------------|
| b | Plan, elevation and section of the Great Wall | Draufsicht, Seitenansicht und Querschnitt der chinesischen Mauer | Pianta, prospetto e sezione della Grande Muraglia | Plan, vue en élévation et coupe de la Grande Muraille | Planta, alzado y sección tansversal de la Gran Muralla |

| **a-c** | Chinese city walls | Chinesische Stadtmauern | Mura della città cinesi | Remparts d'une ville chinoise | Murallas de una ciudad china |

China

| a | Archway in the Nankow Pass, Peking | Bogengang am Nankow-Pass, Peking | Arco nel Nankow Pass, Pechino | Une arche du Nankow Pass à Pékin | Arco en Nankow Pass, Pekín |
|---|---|---|---|---|---|
| b | Northern city gate, Peking | Nördliches Stadttor, Peking | Porta settentrionale della città, Pechino | Entrée au nord de Pékin | Entrada norte a la ciudad de Pekín |
| c-d | City walls, Peking | Stadtmauern, Peking | Mura della città, Pechino | Remparts de Pékin | Murallas de la ciudad de Pekín |
| e | City walls | Stadtmauern | Mura della città | Remparts | Murallas de la ciudad |

China       

Pagoda          Pagode          Pagoda          Pagode          Pagoda

China

a-e    Pagoda             Pagode             Pagoda            Pagode            Pagoda

| a | Gateway | Tor | Porta | Entrée | Puerta |
|---|---|---|---|---|---|
| b | Bridge over the Yellow River at Lan-Chou | Brücke über den Gelben Fluss bei Lan-Chou | Ponte sul Fiume Giallo a Lan-Chou | Un pont sur le fleuve jaune, à Lan-Chou | Puente sobre el río Amarillo, en Lan-Chou |
| c | Pailoo near Canton | Pailoo bei Kanton | Arco commemorativo vicino a Canton | Pailou près de Canton | Pailú cerca de Canton |
| d-e | Pailoo | Pailoo | Arco commemorativo | Pailou | Pailú |
| f | Pailoo, Amoy | Pailoo, Amoy | Arco commemorativo, Amoy | Pailou, Amoy | Pailú, Amoy |

China

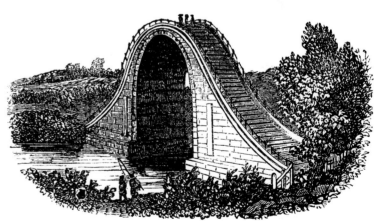

| a-c | Bridge | Brücke | Ponte | Pont | Puente |

| a-b | Gate | Tor | Porta | Porte | Puerta |

China

| a | Chinese temple | Chinesischer Tempel | Tempio cinese | Temple chinois | Templo chino |
| b | Former Temple of Confusius, Shanghai | Ehemaliger Konfuziustempel, Shanghai | Ex tempio di Confucio, Shanghai | Ancien temple de Confusius, Shanghai | Antiguo templo de Confucio, en Shanghai |

| a | Temple and monastery | Tempel und Kloster | Tempio e monastero | Temple et monastère | Templo y monasterio |
| b-c | Temple | Tempel | Tempio | Temple | Templo |
| d | Temple, Macau | Tempel, Macau | Tempio, Macao | Temple, Macau | Temple en Macao |

China

| a | Chinese gate, pagoda and pavilion | Chinesisches Tor, Pagode und Pavillon | Porta, pagoda e padiglione cinesi | Porte, pagode et pavillon chinois | Puerta, pagoda y pabellón chinos |
| b | Exchange of Han-K'ou | Börse von Han-K'ou | Borsa di Han-K'ou | Bourse de Han-K'ou | Bolsa de Han-K'ou |

Interior of a Buddhist temple
    Inneres eines buddhistischen Tempels
    Interno di un tempio buddista
    Intérieur d'un temple bouddhiste
    Interior de un templo budista

China

| a | Two-story Temple of Heaven, Canton | Zweistöckiger Himmelstempel, Kanton | Tempio del Paradiso a due piani, Canton | Temple du Paradis, à deux étages, Canton | El templo Celestial, de dos plantas, en Cantón |
| b | Court of a monastery | Klosterhof | Cortile di un monastero | Cour d'un monastère | Claustro de un monasterio |
| c | Garden pavilion | Gartenpavillon | Padiglione con giardino | Pavillon dans un jardin | Pabellón enclavado en un jardín |

China, c. 1900

a-e     Pavilion        Pavillon        Padiglione        Pavillon        Pabellón

| a-b | Shophouse | Haus mit Geschäften | Negozio | Un magasin | Tienda |
| c | Street in Canton | Straße in Kanton | Strada a Canton | Une rue de Canton | Una calle de Cantón |

China, c. 1900                    Asia  303

Street         Straße         Strada         Rue         Calle

        China, c. 1900

| a | Market | Markt | Mercato | Marché | Mercado |
| b | Fish market, Canton | Fischmarkt, Kanton | Mercato del pesce, Canton | Marché aux poissons, Canton | Lonja de pescado, Cantón |

China, c. 1900

Street, Canton        Straße, Kanton        Strada, Canton        Une rue de Canton        Una calle de Cantón

China, c. 1900

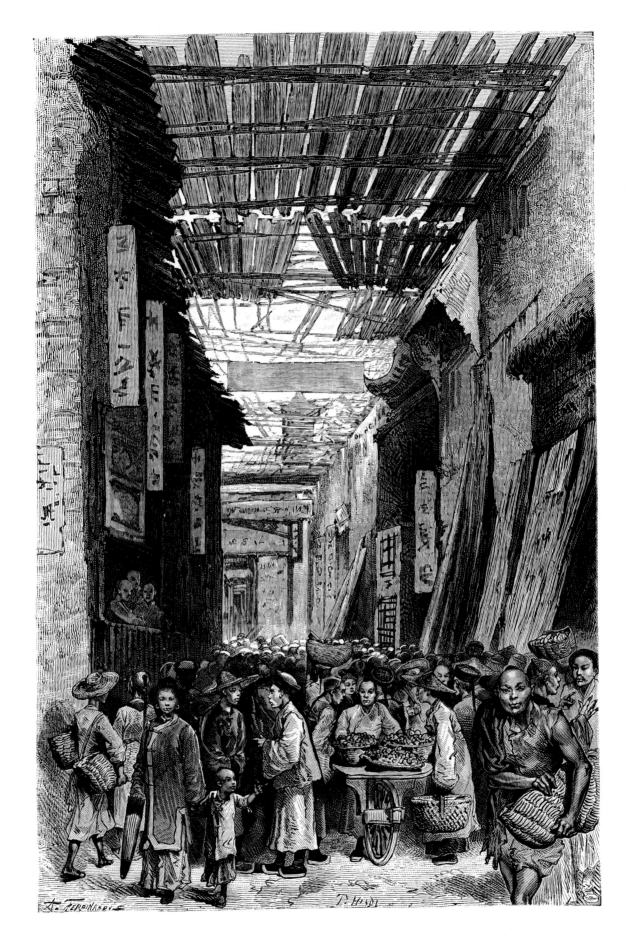

Street, Han-K'ou      Straße, Han-K'ou      Strada, Han-K'ou      Une rue d'Han-K'ou      Una calle de Han-K'ou

China, c. 1900      

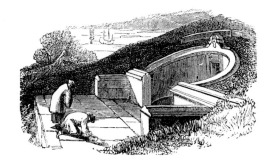

| | | | | |
|---|---|---|---|---|
| a | Chinese harbour | Chinesischer Hafen | Porto cinese | Port chinois | Puerto chino |
| b | Wooden houses | Holzhäuser | Case di legno | Maisons en bois | Casas de madera |

China, c. 1900     

| a | Summer Palace, Peking | Sommerpalast, Peking | Palazzo d'estate, Pechino | Palais d'été, Pékin | Palacio de Verano de Pekín |
| b | Winter Palace, Peking | Winterpalast, Peking | Palazzo d'inverno, Pechino | Palais d'hiver, Pékin | Palacio de Invierno de Pekín |

China

| a-b | Pavilion in the Summer Palace, Peking | Pavillon im Sommerpalast, Peking | Padiglione nel Palazzo d'esta-te, Pechino | Un pavillon du palais d'été, Pékin | Pabellón del palacio de Verano de Pekín |
| c | Temple of the Great Dragon, Peking | Großer Drachentempel, Peking | Tempio del Grande Dragone, Pechino | Le temple du grand dragon, Pékin | Templo del Gran Dragón, en Pekín |

Tien-t'an, Temple of Heaven, Peking

Tien-t'an, der Himmelstempel, Peking

Tien-t'an, Tempio del Paradiso, Pechino

Tien-t'an, temple du paradis, Pékin

Tien-t'an, el llamado templo Celestial, en Pekín

China

Gateway to a Buddhist
monastery, Peking

Tor zu einem buddhistischen
Kloster, Peking

Porta d'ingresso di un monas-
tero buddista, Pechino

Porte d'entrée d'un
monastère bouddhiste, Pékin

Entrada a un monasterio
budista, Pekín

Buddhist monastery      Buddhistisches Kloster      Monastero buddista      Monastère bouddhiste      Monasterio budista

China

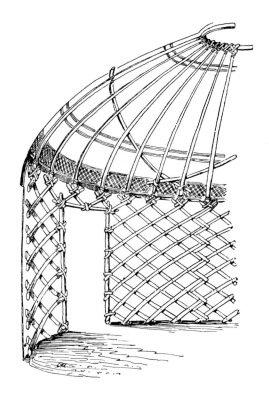

| a | Tomb of a lama, Mongolia | Grab eines Lama, Mongolei | Tomba di un lama, Mongolia | Tombe d'un lama en Mongolie | Tumba de un lama, Mongolia |
| b | Tent, Kyrgyzstan | Zelt, Kirgisistan | Tenda, Kirghizistan | Une tente au Kirghizistan | Tienda en Kirguistán |
| c | Tents, Mongolia | Zelte, Mongolei | Tende, Mongolia | Des tentes en Mongolie | Tiendas en Mongolia |

Mongolia – Kyrgyzstan, c. 1900

Five-story pagoda of the
Horyu temple, Ikaruga

Fünfstöckige Pagode des
Horyu-Tempels, Ikaruga

Pagoda a cinque piani del
tempio Horyu, Ikaruga

Pagode à cinq étages du
temple Horyu, Ikaruga

Pagoda de cinco pisos en el
templo Horyu, Ikaruga

Japan, 7th century

Main entrance to the Ieyasu
Temple, Nikko

Haupteingang zum Ieyasu-
Tempel, Nikko

Entrata principale al Tempio
di Ieyasu, Nikko

Entrée principale du temple
de Ieyasu, Nikko

Entrada principal al templo
de Ieyasu, en Nikko

**Japan, 17th century**

Pagoda, Nikko          Pagode, Nikko          Pagoda, Nikko          Pagode, Nikko          Pagoda, Nikko

Japan, 17th century

Temple entrance, Nikko    Tempeleingang, Nikko    Entrata al tempio, Nikko    Entrée d'un temple à Nikko    Entrada a un templo de Nikko

**Japan, 17th century**    Asia 319

| a | Portal entrance to the Ieyasu Temple, Nikko | Eingangsportal zum Ieyasu-Tempel, Nikko | Porta di accesso al Tempio di Ieyasu, Nikko | Portail d'entrée du temple de Ieyasu, Nikko | Portal de entrada al templo de Ieyasu, en Nikko |
|---|---|---|---|---|---|
| b | Temple of Kamakura | Tempel von Kamakura | Tempio di Kamakura | Temple de Kamakura | Templo de Kamakura |

Japan, 17th century

Five-story pagoda, Yokosuka    Fünfstöckige Pagode,    Pagoda a cinque piani,    Pagode à cinq étages,    Pagoda de cinco pisos,
   Yokosuka    Yokosuka    Yokosuka    Yokosuka

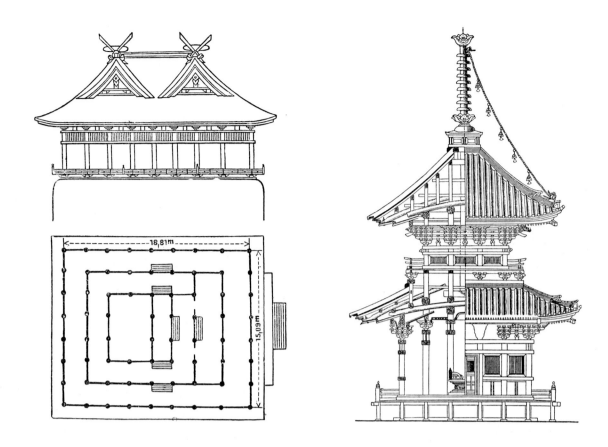

| a | Floor plan and elevation of a Japanese temple | Grundriss und Seitenansicht eines japanischen Tempels | Pianta e prospetto di un tempio giapponese | Plan au sol et vue en élévation d'un temple Japonais | Planta y alzado de un templo japonés |
| b | Kibitsu temple, Tamano, 4th century | Kibitsu-Tempel, Tamano, 4. Jahrhundert | Tempio Kibitsu, Tamano, IV secolo | Temple Kibitsu, Tamano, IVe siècle | Templo Kibitsu, en Tamano, datado del siglo IV |
| c | Japanese castle | Japanische Burg | Castello giapponese | Château japonais | Castillo japonés |

**Japan, 4th century**

| a-b | Japanese house | Japanisches Haus | Casa giapponese | Maison japonaise | Casa japonesa |
|-----|----------------|------------------|------------------|-------------------|----------------|
| c | Street | Straße | Strada | Rue | Calle |

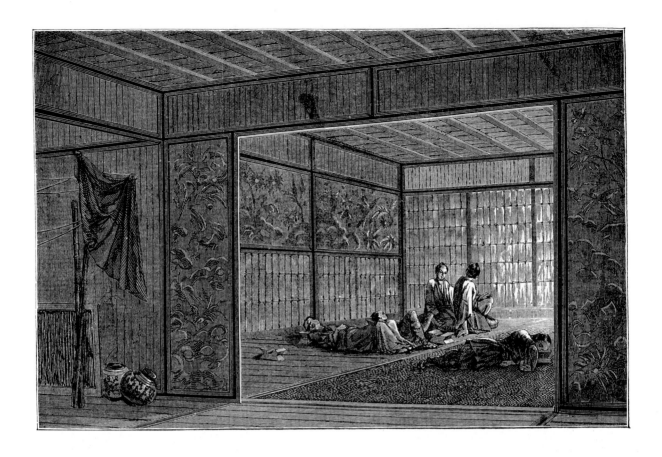

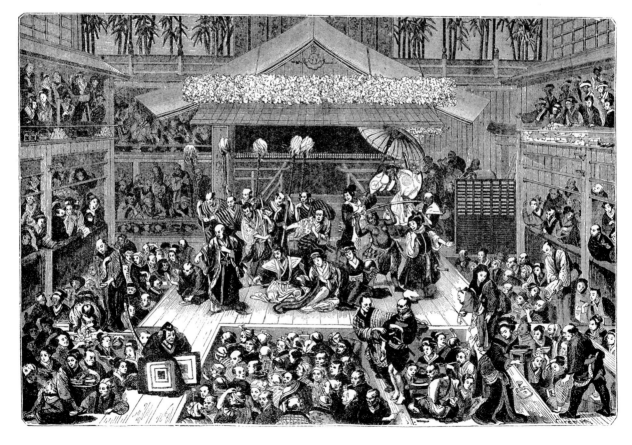

| a | Interior of an inn | Innenraum eines Gasthauses | Interno di una locanda | Intérieur d'une auberge | Interior de una cantina |
| b | Interior of a theatre | Innenraum eines Theaters | Interno di un teatro | Intérieur d'un théâtre | Interior de un teatro |

Japan, c. 1900

| a | Teahouse | Teehaus | Sala da the | Maison de thé | Casa de té |
| b | Workers' houses | Arbeiterhütten | Case di operai | Maisons d'ouvriers | Barracones de obreros |

Japan, c. 1900

| a | Japanese village | Japanisches Dorf | Villaggio giapponese | Village japonais | Población japonesa |
|---|---|---|---|---|---|
| b | House with lilies on the roof | Haus mit Lilien auf dem Dach | Casa con gigli sul tetto | Maison au toit recouvert de nénuphars | Casa con el tejado cubierto de nenúfares |

Japan, c. 1900

| a | Tea shop near Tokyo | Teeladen bei Tokio | Tea Shop vicino Tokio | Magasin de thé près de Tokyo | Tienda de té cerca de Tokio |
| b-c | Tokaido road | Straße von Tokaido | Strada di Tokaido | Route de Tokaido | Carretera de Tokaido |

| a | Houses along a canal | Häuser entlang eines Kanals | Case lungo un canale | Maisons le long d'un canal | Casas a orillas de un canal |
| b | Palace | Palast | Palazzo | Palais | Palacio |

Japan

| a | Bridge | Brücke | Ponte | Pont | Puente |
| b | Castle | Schloss | Castello | Château | Castillo |
| c | Gateway to a river | Tor an einem Fluss | Passaggio verso un fiume | Accès à une rivière | Acceso a un río |

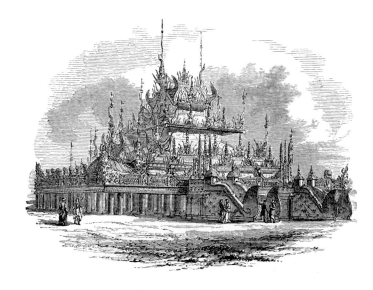

| a | Shewemawdaw (Golden Shrine), Pegu, 12th century | Goldener Schrein (Shewemawdaw), Pegu, 12. Jahrhundert | Shwemawdaw (Reliquiario Dorato), Pegu, XII secolo | Shwemawdaw (temple doré), Pégu, XIIe siècle | Shewemawdaw (templo dorado), Pegu, siglo XII |
|---|---|---|---|---|---|
| b | Temple | Tempel | Tempio | Temple | Templo |
| c | Pagoda | Pagode | Pagoda | Pagode | Pagoda |
| d | Royal Palace | Königspalast | Palazzo Reale | Palais royal | Palacio real |

**Myanmar, 12th century**

| a | Circular pagoda | Runde Pagode | Pagoda circolare | Pagode circulaire | Pagoda circular |
| b | Monastery, Mandalay, 19th century | Kloster, Mandalay, 19. Jahrhundert | Monastero, Mandalay, XIX secolo | Un monastère de Mandalay, XIXᵉ siècle | Monasterio en Mandalay, siglo XIX |
| c | Shwe Dagon pagoda, Yangôn | Shwe-Dagon-Pagode, Yangon | Pagoda Shwe Dagon, Yangôn | Pagode Shwe Dagon, Yangôn | Pagoda Shwe Dagon, Yangôn |

| a | Royal Palace, Bangkok, 18th century | Königspalast, Bangkok, 18. Jahrhundert | Palazzo Reale, Bangkok, XVIII secolo | Palais Royal, Bangkok, XVIII<sup>e</sup> siècle | Palacio Real de Bangkok, siglo XVIII |
| b | Bangkok, 19th century | Bangkok, 19. Jahrhundert | Bangkok, XIX secolo | Bangkok, XIX<sup>e</sup> siècle | Bangkok, siglo XIX |

**Thailand, 18-19th century**

| a-b | Hall of audience, Royal Palace, Bangkok | Audienzsaal im Königspalast, Bangkok | Sala delle udienze, Palazzo Reale, Bangkok | Salle d'audience du palais royal, Bangkok | Salón de audiencias del palacio real de Bangkok |

Entrance to the harem, Royal Palace, Bangkok

Eingang zum Harem, Königspalast, Bangkok

Ingresso di un harem, Palazzo Reale, Bangkok

Entrée du harem du palais royal, Bangkok

Entrada al harén del palacio real de Bangkok

Thailand, 18th century

Pire, Royal Palace, Bangkok    Pire, Königspalast, Bangkok    Pire, Palazzo Reale, Bangkok    Tours du palais royal, Bangkok    Pináculo del palacio real de Bangkok

Thailand, c. 1900          Asia  335

Wat Ching pagoda, Bangkok    Pagode Wat Ching, Bangkok    Pagoda di Wat Ching, Bangkok    Pagode Wat Ching, Bangkok    Pagoda Wat Ching, Bangkok

Thailand

| a | Wat Ching pagoda, Bangkok | Pagode Wat Ching, Bangkok | Pagoda di Wat Ching, Bangkok | Pagode Wat Ching, Bangkok | Pagoda Wat Ching, Bangkok |
| b | Wat Chang pagoda, Bangkok | Pagode Wat Ching, Bangkok | Pagoda di Wat Ching, Bangkok | Pagode Wat Chang, Bangkok | Pagoda Wat Chang, Bangkok |
| c | Ruins of a pagoda, Ayutthaya | Ruinen einer Pagode, Ayutthaya | Rovine di una pagoda, Ayutthaya | Vestiges d'une pagode, Ayutthaya | Vestigios de un pagoda, Ayutthaya |

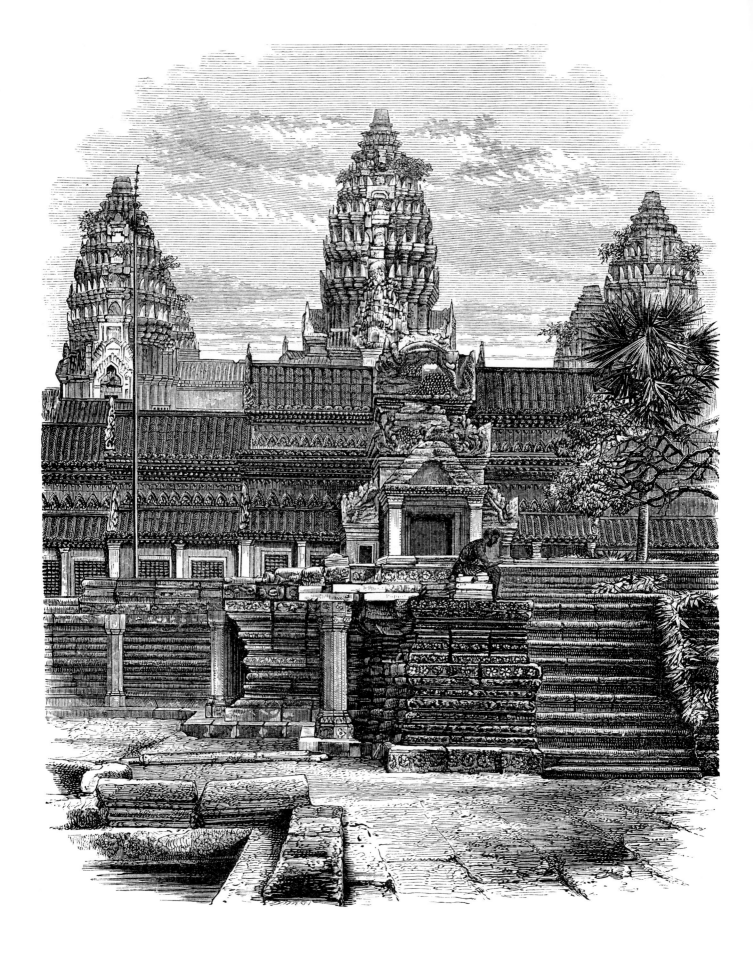

Temple of Angkor      Tempel von Angkor      Tempio di Angkor      Temple d'Angkor      Templo de Angkor

Cambodia, 12th century

| Tower at Angkor Thom Complex, Angkor | Turm in der Anlage von Angkor Thom, Angkor | Torre del complesso di Angkor Thom, Angkor | Une tour de la cité d'Angkor Thom, Angkor | Torre del complejo de Angkor Thom, Angkor |

Cambodia, c. 1200

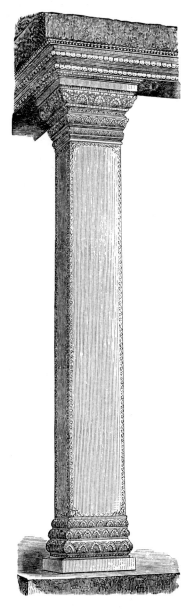

| a-b | Temple of Ankor Wat, 12th century | Tempel von Angkor Wat, 12. Jahrhundert | Tempio di Angkor Wat, XII secolo | Temple d'Ankor Wat, XIIᵉ siècle | Templo de Ankor Wat, siglo XII |
| c | Reconstruction of an old Khmer palace | Rekonstruktion eines alten Khmer-Palastes | Ricostruzione di un vecchio palazzo cambogiano | Reconstruction d'un palais Khmer ancien | Reconstrucción de un antiguo palacio jemer |

**Cambodia, 12th century**

| a | Tower and rice warehouse, northern Vietnam | Turm und Reislager, Nordvietnam | Torre e magazzino di riso, Vietnam del nord | Tour et entrepôt de riz, nord du Vietnam | Torre y almacén de arroz, Vietnam del Norte |
| b | Cholon, near Saigon | Cholon, bei Saigon | Cholon, vicino a Saigon | Cholon, près de Saigon | Cholon, cerca de Saigón |

Village near Manila        Stadt bei Manila        Villaggio vicino a Manila        Un village près de Manille        Aldea cerca de Manila

The Philippines, c. 1900

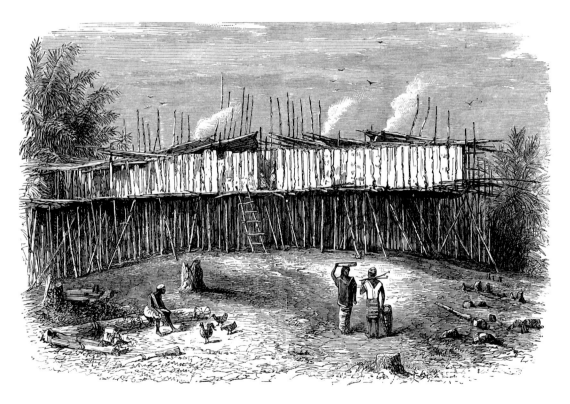

| a-b | Dayak house under construction | Dayak-Haus im Bau | Casa dayak in costruzione | Maison dayak en construction | Casa mayak en construcción |

Borneo

| a | Village | Dorf | Villaggio | Village | Aldea |
| b | Village, west coast of Borneo | Dorf, Westküste von Borneo | Villaggio, costa occidentale di Borneo | Un village sur la côte ouest de Bornéo | Aldea en la costa occidental de Borneo |

| a-b | Bamboo bridge | Bambusbrücke | Villaggio di bambù | Pont en bambou | Puente fabricado con cañas de bambú |

Borneo, c. 1900

Indonesia, 778-850

de TYGERS GRAFT op BATAVIA

Dutch colonial houses on
Tygersgracht, Batavia
(Jakarta), Java

Holländisches Kolonialhaus
bei Tygersgracht, Batavia
(Djakarta), Java

Case coloniali olandesi sul
Tygersgracht, Batavia
(Giacarta), Giava

Maisons coloniales hollan-
daises sur le Tygersgracht,
Batavia (Jakarta), Java

Casas coloniales holandesas
en Tygersgracht, Batavia
(Yakarta), Java

Indonesia, 17th century

| a | Mountain village, Java | Bergdorf, Java | Villaggio di montagna, Giava | Village de montagne, Java | Aldea en las montañas de Java |
|---|---|---|---|---|---|
| b | Manado, Sulawesi | Manado, Sulawesi | Manado, Sulawesi | Manado, Sulawesi | Manado, Célebes |

| a | Mosque in ternate town, Ternate Island | Moschee in Ternate auf der Insel Ternate | Moschea nella città triplice, Isole Ternate | Une mosquée sur l'île de Ternate | Mezquita en un poblado de la isla de Ternate |
| b | Batak house of the dead, Sumatra | Totenhaus der Batak, Sumatra | Casa dei defunti batak, Sumatra | Maison batak des morts, Sumatra | Casa batak dedicada a los muertos, Sumatra |
| c | Panataram Sasih of Pedjeng, Bali | Panataram Sasih im Pedjeng, Bali | Panataram Sasih di Pedjeng, Bali | Panataram Sasih de Pedjeng, Bali | Panataram Sasih de Pedjeng, Bali |

Indonesia, c. 1900

Oceania – Australia

Ozeanien – Australien

Oceania - Australia

Océanie – Australie

Oceanía – Australia

オセアニア － オーストラリア

大洋洲－澳大利亞

MARIANEN ISLANDS

PAPUA NEW GUINEA

Port Moresby

AUSTRALIA

Coolgardie

Melbourne

Launceston
Tasmania

Hobart

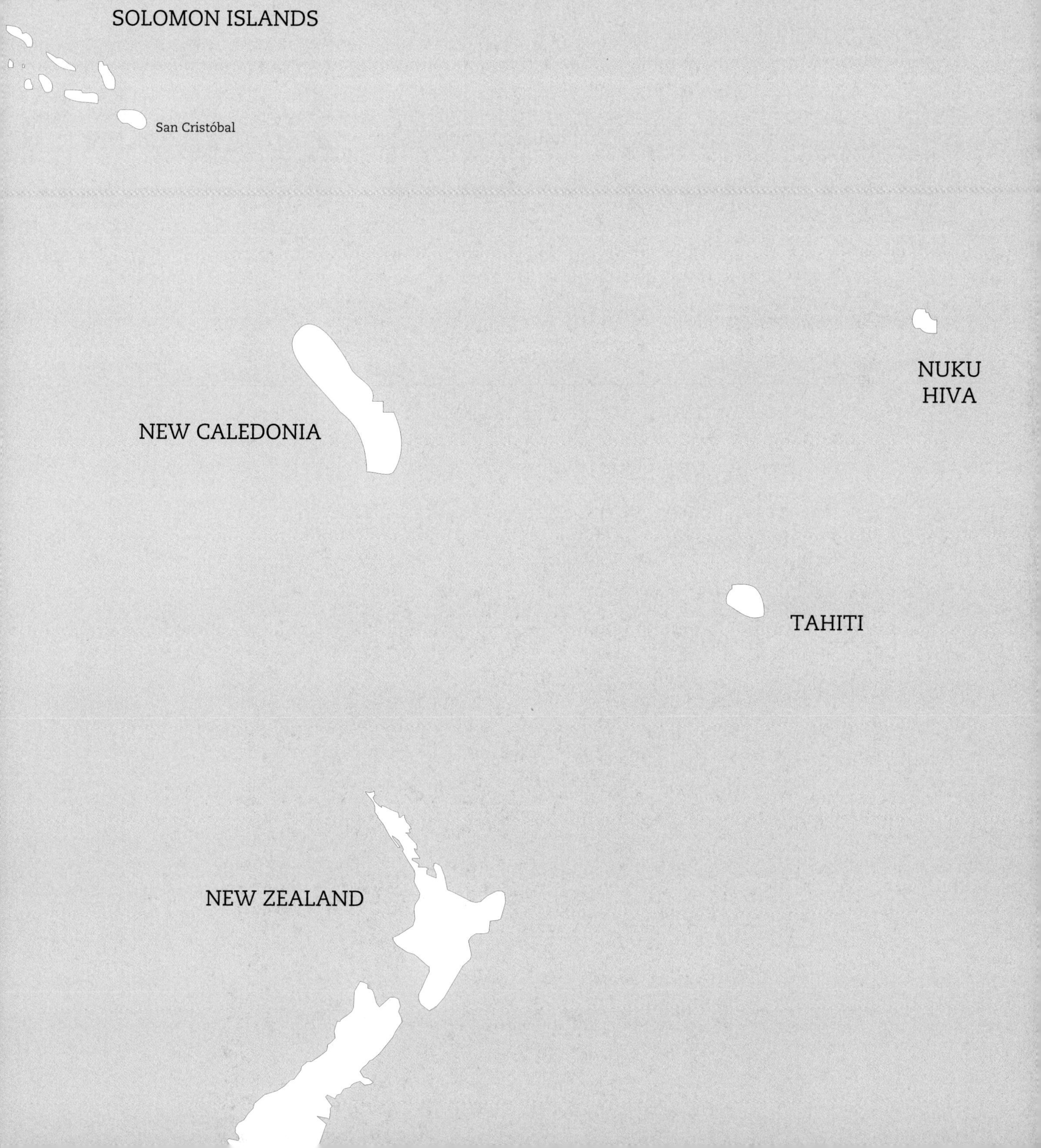

SOLOMON ISLANDS

San Cristóbal

NUKU
HIVA

NEW CALEDONIA

TAHITI

NEW ZEALAND

| a | House in Annapata | Haus in Annapata | Casa ad Annaspata | Une maison à Annapata | Vivienda en Annapata |
|---|---|---|---|---|---|
| b | Men's house and community house in Dore, New Guinea | Männerhaus und Gemeinschaftshaus in Dore, Neuguinea | Casa di singoli e casa comunitaria a Dore, Nuova Guinea | Maison individuelle et logis communautaire à Dore, Nouvelle-Guinée | Casa para hombres y casa de la comunidad en Dore, Nueva Guinea |
| c | Huts, Buka, Solomon Islands | Hütten, Buka, Salomonen | Capanne, Buka, Isole Salomone | Des huttes à Buka, sur les îles Salomon | Cabañas en Buka, Islas Salomón |
| d | Summer shelter, Australia | Sommerunterstand, Australien | Tettoia estiva, Australia | Abri d'été en Australie | Refugio estival, Australia |
| e | Winter shelter, Australia | Winterunterstand, Australien | Tettoia invernale, Australia | Abri d'hiver en Australie | Refugio invernal, Australia |
| f-g | Summer shelter, Australia | Sommerunterstand, Australien | Tettoia estiva, Australia | Abri d'été en Australie | Refugio estival, Australia |
| h | Winter shelter, Australia | Winterunterstand, Australien | Tettoia invernale, Australia | Abri d'hiver en Australie | Refugio invernal, Australia |
| i | Pah village, New Zealand | Pah-Dorf, Neuseeland | Villaggio Pah, Nuova Zelanda | Village pah, Nouvelle-Zélande | Poblado pah, Nueva Zelanda |

New Guinea – Australia – New Zealand, c. 1900

| a | Pagal house | Pagal-Haus | Casa Pagal | Maison pagal | Vivienda pagal |
| b | Tree house, New Guinea | Baumhaus, Neuguinea | Casa su un albero, Nuova Guinea | Maison bâtie à la cime d'un arbre, Nouvelle-Guinée | Cabaña construida en la copa de un árbol, Nueva Guinea |
| c | Funerary monument, Nuku Hiva | Grabmal, Nukuhiva | Monumento funerario, Nuku Hiva | Monument funéraire, Nuku Hiva | Monumento funerario, Nuku Hiva |

**New Guinea – Nuku Hiva, c. 1900**   Oceania – Australia

| a | Pile village | Pfahldorf | Villaggio di palafitte | Un village sur pilotis | Poblado erigido sobre pilotes |
| b | Village in Port Moresby | Dorf in Port Moresby | Villaggio a Port Moresby | Un village du Port Moresby | Población en Port Moresby |
| c | Interior of a men's house | Männerhaus innen | Interno di una casa privata | Intérieur d'une maison individuelle | Interior de una casa privada |

**New Guinea, c. 1900**

| a | Papoa village | Papua-Dorf | Villaggio Papoa | Un village papou | Poblado de Papúa |
| b | House in an Arsak village | Haus in einem Dorf der Arsak | Casa nel villaggio Arsak | Maison d'un village arsak | Vivienda en la población de Arsak |

| a | Village in Nuku Hiva | Dorf auf Nukuhiva | Villaggio su NukuHiva | Un village sur l'île de Nuku Hiva | Poblado en Nuku Hiva |
| b | House in Tahiti | Haus auf Tahit | Casa su Tahiti | Une maison de Tahiti | Casa en Tahití |
| c | Village on the Marianen Islands | Dorf auf den Marianen | Villaggio sulle Isole Marianne | Un village des îles Mariannes | Poblado en las Islas Marianas |

Nuku Hiva – Tahiti – Marianen Islands, c. 1900

| | | | | | |
|---|---|---|---|---|---|
| a | Remnants of a stone building in Easter Island | Überreste eines Steingebäudes auf den Osterinseln | Resti di una costruzione in pietra sull'Isola di Pasqua | Vestiges d'un édifice en pierre sur l'île de Pâques | Ruinas de un edificio de piedra en la Isla de Pascua |
| b | Remnants of a stone building in Tinian | Überreste eines Steingebäudes auf Tinian | Resti di una costruzione in pietra su Tinian | Vestiges d'un édifice en pierre sur l'île Tinian | Ruinas de un edifico de piedra en Tinian |
| c | Remnants of a stone building on Ponape | Überreste eines Steingebäudes auf Ponape | Resti di una costruzione in pietra su Ponape | Vestiges d'un édifice en pierre sur l'île Ponape | Ruinas de un edificio de piedra en Ponape |

| Village | Dorf | Villaggio | Village | Poblado |

New Caledonia, c. 1900

| a | Village on San Christóbal, Solomon Islands | Stadt auf San Cristobal, Salomonen | Villaggio su San Cristóbal, Isole Salomone | Un village sur Makira, l'une des îles Salomon | Poblado en San Christóbal, Islas Salomón |
|---|---|---|---|---|---|
| b | Pile dwellings, Australia | Pfahlhäuser, Australien | Abitazioni su palafitte, Australia | Maisons sur pilotis en Australie | Viviendas levantadas sobre pilotes, Australia |

| a | Aboriginal village | Dorf der Ureinwohner | Villaggio aborigene | Un village aborigène | Poblado aborigen |
| b | Aboriginal village gate | Tor zu einem Dorf der Ureinwohner | Porta di un villaggio aborigene | Entrée d'un village aborigène | Puerta de entrada al poblado aborigen |
| c | Australian settlement | Australische Siedlung | Insediamento australiano | Un village australien | Asentamiento australiano |

Australia, c. 1900

| a | Dam | Damm | Diga | Un barrage | Dique |
| b | Aboriginal village | Dorf der Ureinwohner | Villaggio aborigene | Un village aborigène | Poblado aborigen |

| a | Launceston, Tasmania | Launceston, Tasmanien | Launceston, Tasmania | Launceston, Tasmanie | Launceston, Tasmania |
|---|---|---|---|---|---|
| b | Hobart, Tasmania | Hobart, Tasmanien | Hobart, Tasmania | Hobart, Tasmanie | Hobart, Tasmania |

    Australia, c. 1900

| a | Library of Melbourne | Bücherei von Melbourne | Biblioteca di Melbourne | Bibliothèque de Melbourne | Biblioteca de Melbourne |
| b | Colonial house | Haus im Kolonialstil | Casa coloniale | Demeure coloniale | Mansión colonial |

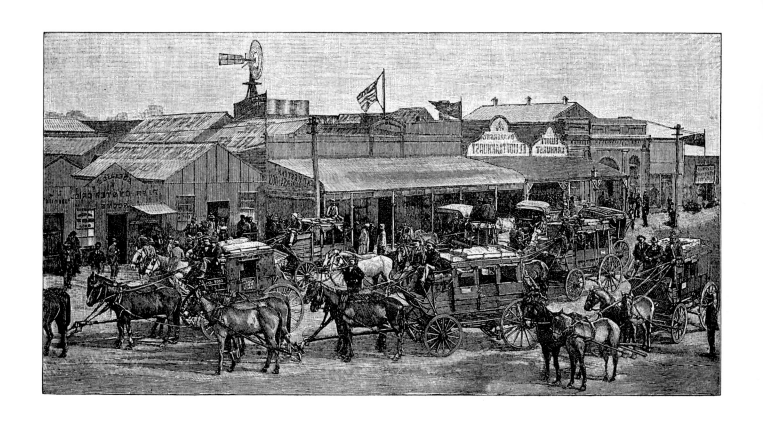

| a | Coolgardie | Coolgardie | Coolgardie | Coolgardie | Coolgardie |
| b | Melbourne | Melbourne | Melbourne | Melbourne | Melbourne |

Australia, c. 1900

America
Amerika
America
Amérique
América
アメリカ
美洲

MEXICO

Mexico City

Puebla

Perote

Vera Cruz

Frontera

Tenochtitlán

Tehuantepec

Mitla

Teniosique

Palenque

Yaxchílan

Mérida

Uxmal

Labná

Tulum

Chichén Itzá

GREENLAND

UNITES STATES

CANADA

Frederikshåb

Labrador
Coast

Newfoundland

Vancouver

Québec
Sainte Hyancinthe
Montreal                    Frederickstown
Ottawa
Toronto                     Halifax
Chicago
Salt Lake City              New York
                            Philadelphia
San Francisco               Washington

New Orleans

MEXICO                      BAHAMAS
              Havana
Mexico City                 CUBA
              Florés  Tikal  HAITI
GUATEMALA                   Hispániola
      Antigua               MARTINIQUE
      Guatemala  COSTARICA  Saint Pierre
              PANAMA   Maracaibo
                    Antioquia   Para-
                         VENEZUELA  maribo  FR.
              Honda  Bogotá   BR.  GUYANA
                         GUYANA  Cayenne
                    COLOMBIA  SURINAM
      ECUADOR
      Quayaquil             Porto do Moz  Bèlem

              Tabatinga

      PERU                  BRAZIL
Lima    Cuzco  Titicaca
              Island
      Arequipa  La Paz   Ouro Prêto
              Ilimani
              BOLIVIA      Rio de Janeiro
              Potosí
                    PARAGUAY
      CHILE              Asunción
              ARGENTINA   Passo Fundo
                    URUGUAY
Valparaíso
Santiago  Mendoza
de Chile      Buenos  Montevideo
              Aires
Chillán

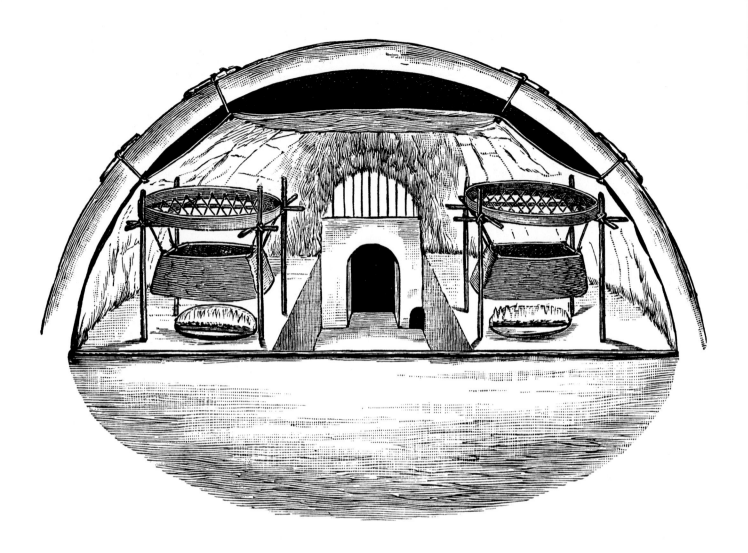

| a | Interior of an igloo | Iglu, innen | Interno di un igloo | Intérieur d'un igloo | Interior de un iglú |
| b | Eskimo village | Eskimodorf | Villaggio esquimese | Un village eskimo | Poblado esquimal |
| c | Eskimo village | Eskimodorf | Villaggio esquimese | Un village eskimo | Poblado esquimal |

Canada, c. 1900

| a | Eskimo village, North-Endon | Eskimodorf, Nordendon | Villaggio esquimese, Endon Nord | Un village eskimo, North-Endon | Poblado esquimal en North-Endon |
|---|---|---|---|---|---|
| b | Building an igloo | Iglu im Bau | Costruzione di un igloo | Construction d'un igloo | Construcción de un iglú |

| a | Montreal | Montreal | Montreal | Montréal | Montreal |
|---|---|---|---|---|---|
| b | Québec | Quebec | Quebec | Québec | Québec |
| c | Sainte Hyacinthe | Sainte Hyacinthe | Saint Hyacinthe | Sainte Hyacinthe | Sainte Hyacinthe |
| d | Halifax | Halifax | Halifax | Halifax | Halifax |
| e | Frederickstown | Frederickstown | Frederickstown | Frederickstown | Frederickstown |
| f | Fort of Chambly | Fort von Chambly | Forte di Chambly | Fort Chambly | Fuerte de Chambly |

Canada, c. 1850

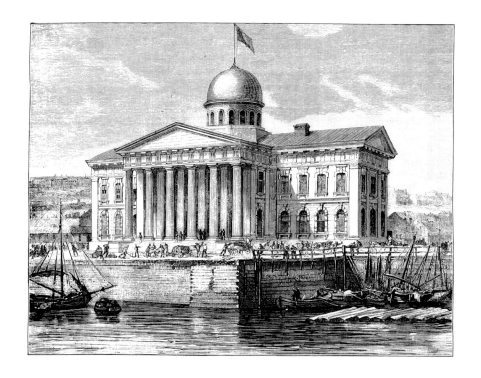

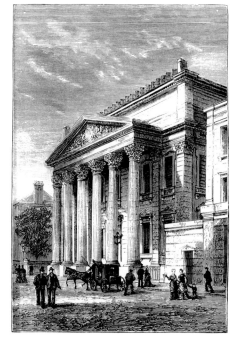

| a | Customs building, Québec | Zollgebäude, Quebec | Edificio della dogana, Quebec | La douane à Québec | Aduana, Québec |
| b | Hotel de la Marina, Québec | Hotel de la Marina, Quebec | Hotel della Marina, Quebec | Hôtel de la Marina, Québec | Hotel de la Marina, Québec |
| c | Bonsecours Market, Montreal | Markt von Bonsecours, Montreal | Mercato Bonsecours, Montreal | Le marché Bonsecours, Montréal | Mercado de Bonsecours, Montreal |
| d | The National Bank, Montreal | Nationalbank, Montreal | La Banca Nazionale, Montreal | La *National Bank*, Montréal | National Bank, Montreal |

| a | House of Parliament, Ottawa | Parlamentsgebäude, Ottawa | Palazzo del Parlamento, Ottawa | Le Parlement, Ottawa | Sede del Parlamento, Ottawa |
| b | National Bank, Montreal | Nationalbank, Montreal | Banca Nazionale, Montreal | La *National Bank*, Montréal | National Bank, Montreal |

Canada, c. 1850

Osgood Hall, Toronto    Osgood Hall, Toronto    Osgood Hall, Toronto    Osgood Hall, Toronto    Universidad Osgood Hall,
                                                                                                    en Toronto

| a | Station of the Hudson Bay Company | Niederlassung der Hudson Bay Company | Stazione della Hudson's Bay Company | Campement de la Compagnie de la Baie d'Hudson | Campamento de la compañía de la bahía de Hudson |
| b | Fishing station, Labrador Coast | Fischereisiedlung, Küste von Labrador | Stazione peschiera, Costa del Labrador | Un port de pêche sur la côte du Labrador | Pueblo pesquero de la costa de Labrador |

Canada, c. 1900

| a | Vancouver, Canada | Vancouver, Kanada | Vancouver, Canada | Vancouver, Canada | Vancouver, Canadá |
|---|---|---|---|---|---|
| b | Frederikshåb, Greenland | Frederikshåb, Grönland | Frederikshåb, Groenlandia | Frederikshåb, Groenland | Frederikshåb, Groenlandia |

Canada – Greenland, c. 1900     North-America   377

a-b     Indian village          Indianerdorf          Villaggio indiano          Un village indien          Poblado indio

         **United States, c. 1900**

| a | Wigwam, Newfoundland | Wigwam, Neufundland | Wigwam, Newfoundland | Un wigwam à Terre-Neuve | Tienda wigwam, Terranova |
| b | Mandan village | Dorf der Mandan | Villaggio Mandan | Un village mandan | Poblado mandan |
| c | Navajo hut | Hütte der Navajo | Capanna Navajo | Une hutte de la tribu navajo | Tienda típica de los navajo |
| d | Omaha wigwam | Wigwam der Omaha | Omaha wigwam | Un wigwam de la tribu omaha | Tienda wigwam omaha |

a      Indian village         Indianerdorf        Villaggio indiano        Un village indien        Poblado indio

        **United States, c. 1900**

| a | Farm on the prairie | Farm inmitten der Prärie | Fattoria sulla prateria | Une ferme dans la Prairie | Granja en una pradera |
| b | Wooden prairie house | Hölzerne Präriehütte | Casa in legno nella prateria | Une maison en bois dans la Prairie | Granja de madera en una pradera |
| c | Momorns temple, Salt Lake City | Mormonenkirche, Salt Lake City | Tempio mormone, Salt Lake City | Un temple mormon à Salt Lake City | Templo mormón en Salt Lake City |

**United States, c. 1900**

<table>
</table>

| a-b | The White House, Washington, 1792-1800, by James Hoban | Das Weiße Haus, Washington, 1792-1800, von James Hoban | La Casa Bianca, Washington, 1792-1800, di James Hoban | La Maison Blanche à Washington, reproduite par James Hoban entre 1792 et 1800 | La Casa Blanca, Washington, 1792-1800, obra de James Hoban |

**United States, 18th century**

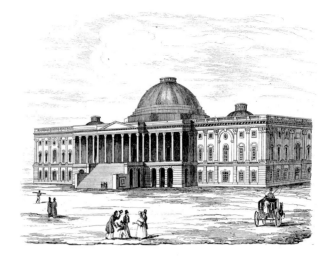

| a | House of Representatives, Washington | Abgeordnetenhaus, Washington | Camera dei Rappresentanti, Washington | La chambre des députés, Washington | La Cámara de los Representantes, Washington |
|---|---|---|---|---|---|
| b | The Capitol, Washington | Das Kapitol, Washington | Il Campidoglio, Washington | Le Capitol, Washington | El Capitolio, Washington |
| c | New York, 17th century | New York, 17. Jahrhundert | New York, XVII secolo | New York au XVIIᵉ siècle | Nueva York, siglo XVII |
| d | Broadway, New York, c. 1850 | Broadway, New York, um 1850 | Broadway, New York, ca. 1850 | Broadway, New York, 1850 | Broadway, Nueva York, en 1850 |
| e | City hall, New York, c. 1850 | Rathaus, New York, um 1850 | Municipio, New York, ca. 1850 | La mairie de New York, 1850 | Ayuntamiento de Nueva York, hacia 1850 |

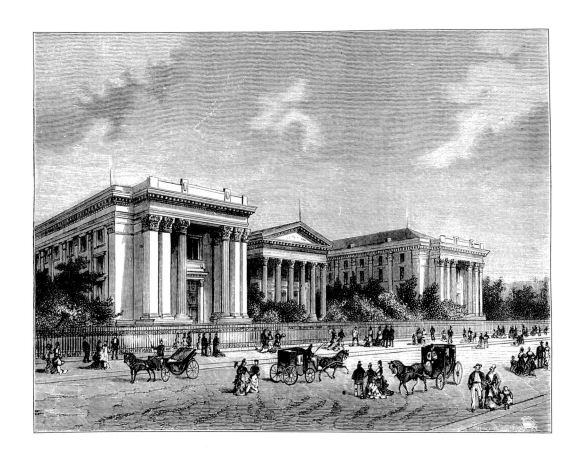

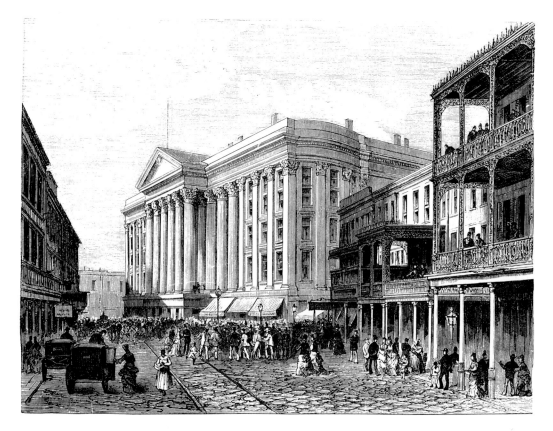

| a | University, New Orleans | Universität, New Orleans | Universitá, New Orleans | Université de la Nouvelle-Orléans | La Universidad de Nueva Orleans |
|---|---|---|---|---|---|
| b | Hotel San Carlos, New Orleans | Hotel San Carlos, New Orleans | Hotel San Carlos, New Orleans | Hôtel San Carlos à la Nouvelle-Orléans | El Hotel San Carlos, en Nueva Orleans |

| a | Montgomery Street, San Francisco | Montgomery Street, San Franzisko | Montgomery Street, San Francisco | La rue Montgomery à San Francisco | La calle Montgomery, en San Francisco |
| b | Chicago | Chicago | Chicago | Chicago | Chicago |

Main street, Chicago · Main Street, Chicago · Main Street, Chicago · Main Street, Chicago · Main Street, Chicago

**United States, c. 1900** North-America 387

| a | Bridge over Schuylkill River, Philadelphia | Brücke über den Schuykill River, Philadelphia | Ponte sul fiume Schuylkill, Filadelfia | Un pont sur la rivière Schuylkill à Philadelphie | Puente sobre el río Schuylkill, Filadelfia |
|---|---|---|---|---|---|
| b | Pacific Railway | Pazifikeisenbahn | Ferrovia del Pacifico | Un train de la compagnie Pacific | Ferrocarril de la compañía Pacific |

**United States, c. 1900**

| | | | | | |
|---|---|---|---|---|---|
| a | Newburgh, New York | Newburgh, New York | Newburgh, New York | Newburgh, New York | Newburgh, Nueva York |
| b | Fort, Rhode Island | Fort, Rhode Island | Forte, Rhode Island | Fort, Rhode Island | Fuerte en Rhode Island |
| c | Albany | Albany | Albany | Albany | Albany |
| d | Catskill Mountain House | Cattskil Mountain House | Cattskill Mountain House | Maison dans les monts Catskill | Mansión en las montañas Catskill |
| e | Prison, Philadelphia | Gefängnis, Philadelphia | Prigione, Filadelfia | La prison de Philadelphie | Prisión en Filadelfia |
| f | Chicago, c. 1850 | Chicago, um 1850 | Chicago, ca. 1850 | Chicago vers 1850 | Chicago, alrededor de 1850 |

| a | Ruins of a Toltec house | Ruinen eines Toltekenhauses | Rovine di una casa dei Toltechi | Ruines d'une maison toltèque | Ruinas de una vivienda tolteca |
| b | Ruins of a Toltec palace | Ruinen eines Toltekenpalastes | Rovine di un palazzo dei Tolteci | Ruines d'un palais toltèque | Ruinas de un palacio tolteca |

**Mexico, 10-12th century**

| a | The castillo (The Great Pyramid), Chichén Itzá | Das Castillo (Die Große Pyramide), Chichén Itzá | Il castillo (la Grande Piramide), Chichén Itzá | El Castillo (la grande pyramide), Chichén Itzá | El Castillo (la Gran Pirámide, en Chichén Itzá |
| b | Tiger reliefs at the ball court, Chichén Itzá | Tigerreliefs am Ballspielplatz, Chichén Itzá | Rilievi di tigri nella zona del gioco della palla, Chichén Itzá | Tigres en relief sur le terrain de jeu de balle à Chichén Itzá | Grabados de tigres decoraban la estructura del Juego de la Pelota, en Chichén Itzá |
| c | Casa de las Monjas (Nunnery), Chichén Itzá | Casa de las Monjas (Nonnenkloster), Chichén Itzá | Casa de las Monjas (Casa delle monache), Chichén Itzá | Casa de las Monjas (couvent), Chichén Itzá | Casa de las Monjas, en Chichén Itzá |

| a | Casa de las Monjas (Nunnery), Chichén Itzá | Casa de las Monjas (Nonnenkloster), Chichén Itzá | Casa de las Monjas (Casa delle monache), Chichén Itzá | Casa de las Monjas (couvent), Chichén Itzá | Casa de las Monjas, en Chichén Itzá |
| b | Temple of the Jaguars on the the ball court, Chichén Itzá | Jaguartempel am Ballspielplatz, Chichén Itzá | Tempio dei Giaguari nella zona del gioco della palla, Chichén Itzá | Temple des Jaguars surplombant le terrain de jeu de balle, Chichén Itzá | Templo de los Jaguares, en el Juego de la Pelota, Chichén Itzá |

**Mexico, 6th century**

Facade of the Castillo (The Great Pyramid), Chichén Itzá

Fassade am Castillo (Die Große Pyramide), Chichén Itzá

Facciata del Castello (la Grande Piramide), Chichén Itzá

Façade d'El Castillo (la grande pyramide), Chichén Itzá

Fachada del Castillo (la Gran Pirámide), Chichén Itzá

**Mexico, 6th century**

| a | Pyramid of Tehuantepec | Pyramide von Tehuantepec | Piramide di Tehuantepec | Pyramide de Tehuantepec | Pirámide de Tehuantepec |
|---|---|---|---|---|---|
| b | Gateway of the temple complex, Tenochtitlán, 600-900 | Eingangstor zum Tempelkomplex, Tenochtitlán, 600-900 | Entrata al complesso del tempio, Tenochtitlán, 600-900 | Entrée du complexe de temples, Tenochtitlán, 600-900 | Entrada al complejo de los templos, Tenochtitlan, 600-900 |
| c | "The Great Hall", Mitla, 900-1500 | "Der große Saal" Mitla, 900-1500 | "La Grande Sala", Mitla, 900-1500 | "The Great Hall", Mitla, 900-1500 | "La Gran Muralla", Mitla, 900-1500 |

**Mexico, 7th-15th century**

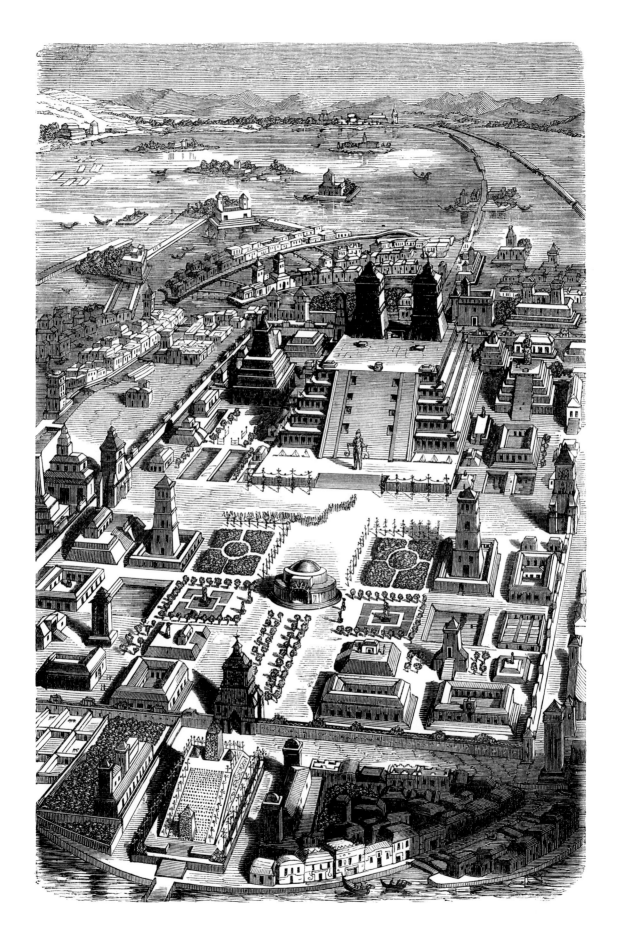

Temple complex, Tenochtitlán

Tempelkomplex, Tenochtitlán

Complesso del tempio, Tenochtitlán

Le complexe de temples de Tenochtitlán

Recinto de los templos, Tenochtitlán

**Mexico, 7th-9th century**   South-America  395

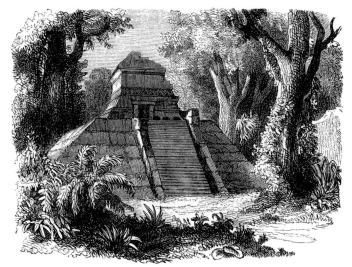

| | | | | | |
|---|---|---|---|---|---|
| a-b | Pyramid of Tusapán | Pyramide von Tusapán | Piramide di Tusapán | Pyramide de Tusapán | Pirámide de Tusapán |
| c | Pyramid of Cholula, 600-900 | Pyramide von Cholula, 600-900 | Piramide di Cholula, 600-900 | Pyramide de Cholula, 600-900 | Pirámide de Cholula, 600-900 |
| d | Pyramid Chapel of Nuestra Señora de los Remedios, 18th century | Pyramide mit der Kapelle Señora de los Remedios, 18. Jahrhundert | Cappella a piramide di Nuestra Señora de los Remedios, XVIII secolo | Chapelle Pyramide de Nuestra Señora de los Remedios, XVIIIe siècle | Pirámide de la Capilla de Nuestra Señora de los Remedios, siglo XVIII |
| e | Pyramid of Tehuantepec | Pyramide von Tehuantepec | Piramide di Tehuantepec | Pyramide de Tehuantepec | Pirámide de Tehuantepec |

**Mexico, 6-9th century**

| a, c-d | Pyramid of Xochicalco, 8-9th century | Pyramide von Xochicalco, 8.-9. Jahrhundert | Pirámide di Xochicalco, VIII – IX secolo | Pyramide de Xochicalco, VIIIᵉ et IXᵉ siècle | Pirámide de Xochicalco, siglos VIII-IX |
|---|---|---|---|---|---|
| b, e | Pyramid of Papantla | Pyramide von Papantla | Piramide di Papantla | Pyramide de Papantla | Pirámide de Papantla |

**Mexico, 8-9th century**     South-America     397

| a | Palenque | Palenque | Palenque | Palenque | Palenque |
| b-c | Palace and watchtower, Palenque | Palast und Wachturm, Palenque | Palazzo e torre di osservazione | Palais et tour de guet, Palenque | Palacio y torre vigía, Palenque |

**Mexico, 7th-9th century**

| a | Temple of the Inscriptions, Palenque | Tempel der Inschriften, Palenque | Tempio delle Iscrizioni, Palenque | Temple des Inscriptions, Palenque | Templo de las Inscripciones, Palenque |
|---|---|---|---|---|---|
| b | Courtyard of the palace, east side, Palenque | Palasthof, Ostseite, Palenque | Cortile del palazzo, lato orientale, Palenque | Une cour dans la partie est du palais de Palenque | Atrio situado en la cara este del palacio, Palenque |

| a | Temple of the Sun, Palenque | Sonnentempel, Palenque | Tempio del Sole | Temple du Soleil, Palenque | Templo del Sol, Palenque |
| b | Interior, Palenque | Innenraum, Palenque | Interno, Palenque | Intérieur du temple | Vista del interior, Palenque |
| c | Temple of the Inscriptions, Palenque | Tempel der Inschriften, Palenque | Tempio delle Iscrizioni, Palenque | Le temple des Inscriptions, Palenque | Templo de las Inscripciones, Palenque |

**Mexico, 7-9th century**

Palace, Uxmal         Palast, Uxmal         Palazzo, Uxmal         Palais d'Uxmal         Palacio de Uxmal

**Mexico, 7th-9th century**

| a | Nunnery Quadrangle and House of the Dwarf (Casa del Enano), Uxmal | Nonnenviereck und Casa del Enano (Pyramide des Zauberers), Uxmal | Quandangolo del convento e Casa del Nano (Casa del Enano), Uxmal | Le Quadrilatère des nonnes et la Pyramide du Devin, Uxmal | Casa de las Monjas y Casa del Enano, Uxmal |
|---|---|---|---|---|---|
| b | The Governor's Palace (Palacio del Gobernador), Uxmal | Palacio del Gobernador (Gouverneurspalast), Uxmal | Il Palazzo del Governatore (Palacio del Gobernador), Uxmal | Palais du gouverneur, Uxmal | Palacio del Gobernador, Uxmal |

**Mexico, 7-9th century**

House of the Dwarf
(Casa del Enano), Uxmal

Casa del Enano (Pyramide des
Zauberers), Uxmal

Casa del Nano (Casa del
Enano), Uxmal

Pyramide du Devin, Uxmal

Casa del Enano, Uxmal

**Mexico, 7-9th century**

| a | Temple, Yaxchilán | Tempel, Yaxchilán | Tempio, Yaxchilán | Un temple, Yaxchilán | Templo en Yaxchilán |
| b | Temple, Labná | Tempel, Labná | Tempio, Labná | Un temple, Labná | Templo en Labná |
| c | Palace of Tulum | Palast von Tulum | Palazzo di Tulum | Palais de Tulum | Palacio de Tulum |

**Mexico**

<table>
<tr><td>a-b</td><td>Ruins east of Mérida</td><td>Ruinen im Osten von Mérida</td><td>Rovine orientali di Mérida</td><td>Des ruines à l'est de Mérida</td><td>Yacimiento en el este de Mérida</td></tr>
</table>

Sagrario of the Metropolitan Cathedral, Mexico City, 1718

Sakramentshaus (Sagrario Metropolitano) der Kathedrale, Mexiko City, 1718

Sagrario della Cattedrale Metropolitana, Città del Messico, 1718

*Sagrario* de la cathédrale de Mexico, 1718

La Catedral y el Sagrario, Ciudad de México, 1718

**Mexico, 18th century**

| a, c | Metropolitan Cathedral on the Zócalo, Mexico City, 1718 | Die Kathedrale der Metropole am Zócalo, Mexiko City, 1718 | Cattedrale Metropolitana sullo Zòcalo, Città del Messico, 1718 | La cathédrale du Zócalo de Mexico, 1718 | Catedral metropolitana erigida en el Zócalo, Ciudad de México, 1718 |
| b | Church of Santo Domingo, Mexico City | Kirche von Santo Domingo, Mexiko City | Chiesa di Santo Domingo, Città del Messico | Église Santo Domingo, Mexico | Iglesia de Santo Domingo, Ciudad de México |

| | | | | | |
|---|---|---|---|---|---|
| a | Fountain, Mexico City | Brunnen, Mexiko City | Fontana, Città del Messico | Une fontaine de Mexico | Una fuente, Ciudad de México |
| b | Agaven schenke?, Mexico City | Agaven-Schenke?, Mexiko City | Agaven schenke?, Città del Messico | Agaven schenke?, Mexico | ¿Agaven schenke?, Ciudad de México |
| c | House of Ferdinand Cortez, Mexico City | Wohnhaus von Ferdinand Cortez, Mexiko City | Casa di Ferdinando Cortéz, Città del Messico | Demeure de Ferdinand Cortez, Mexico | Hogar de Hernán Cortés, Ciudad de México |

**Mexico, 17-19th century**

House of Montejo, Mérida, 1549     Wohnhaus von Montejo, Mérida, 1549     Casa del Montejo, Mérida, 1549     Demeure de Montejo, Mérida, 1549     Casa de Montejo, Mérida, 1549

**Mexico, 16th century**    

| | | | | | |
|---|---|---|---|---|---|
| a | Vera Cruz | Vera Cruz | Vera Cruz | Vera Cruz | Veracruz |
| b | Cañada de Marfil, Guanaxuato | Cañada de Marfil, Guanaxuato | Cañada de Marfil, Guanaxuato | Cañada de Marfil, Guanaxuato | Cañada de Marfil, Guanaxuato |
| c | Chapultepec | Chapultepec | Chapultepec | Chapultepec | Chapultepec |

**Mexico, c. 1900**

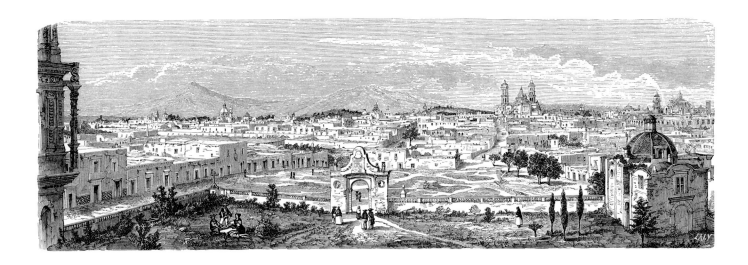

a-d    Puebla, Mexico         Puebla, Mexiko         Puebla, Messico         Puebla, Mexique         Puebla, México

| a | Hacienda of Salgado | Hacienda von Salgado | Hacienda di Salgano | Hacienda de Salgado | Hacienda de los Salgado |
| b | Church of Citas | Kirche von Citas | Chiesa di Citas | Église de Citas | Iglesia de las Citas |

**Mexico, c. 1900**

| a | Ruins of Tlalmanalco | Ruinen von Tlalmanalco | Rovine di Tlalmanalco | Ruines de Tlalmanalco | Yacimiento de Tlalmanalco |
| b | Hacienda de Chapingo | Hacienda von Chapingo | Hacienda de Chapingo | Hacienda de Chapingo | Hacienda de los Chapingo |
| c | Nuestra Señora de Guadalupe, Canelones | Nuestra Señora de Guadalupe, Canelones | Nuestra Señora de Guadalupe, Canelones | Nuestra Señora de Guadalupe, Canelones | Nuestra Señora de Guadalupe, Canelones |

| a | Hacienda, Uxmal | Hacienda, Uxmal | Hacienda, Uxmal | Hacienda, Uxmal | Hacienda en Uxmal |
|---|---|---|---|---|---|
| b | Perote | Perote | Perote | Perote | Perote |

Mexico, c. 1900

| a | Teniosique | Teniosique | Teniosique | Teniosique | Teniosique |
|---|---|---|---|---|---|
| b | Forest hut | Waldhütte | Capanna nella foresta | Cabane dans la forêt | Cabaña en un bosque |

| a | Hotel Grijalva, Frontera | Hotel Grijalva, Frontera | Hotel Grijalva, Frontera | Hotel Grijalva, Frontera | Hotel Grijalva, Frontera |
| b | Village with church | Dorf mit Kirche | Villaggio con chiesa | Un village et son église | Poblado con iglesia |

**Mexico, c. 1900**

| a | Jungle shelter, Mexico | Dschungelunterstand, Mexiko | Tettoia nella foresta, Messico | Un abri dans la forêt, Mexique | Refugio en una selva de México |
|---|---|---|---|---|---|
| b | Palenque, house for several families, Costa Rica | Palenque, Wohnhaus für mehrere Familien, Costa Rica | Palenque, casa per diverse famiglie, Costarica | Maisons accueillant plusieurs familles, Costa Rica | Palenque, casa compartida por varias familias, Costa Rica |

Temple with stele, Tikal      Tempel mit Stele, Tikal      Tempio con stele, Tikal      Temple avec stèle, Tikal      Templo con estela, Tikal

**Guatemala, 7-9th century**

| a | Central plaza, Antigua Guatemala | Zentrale Plaza, Antigua, Guatemala | Piazza Centrale, Antigua, Guatemala | Place centrale d'Antigua, Guatemala | Plaza Central, Antigua, Guatemala |
|---|---|---|---|---|---|
| b | La Libertad | La Libertad | La Libertad | La Libertad | La Libertad |

| a | Indian settlement | Indianische Siedlung | Insediamento indiano | Un village indien | Asentamiento indio |
| b | Flores | Blumen | Flores | Flores | Flores |
| c | Mission post, Sion | Missionsstation Zion | Missione Sion | Mission, Sion | Misión, Sión |

Guatemala, c. 1900

Settlement of the Kuna indians on islands in the gulf of San Blas

Siedlung der Kuna-Indianer auf den Inseln im Golf von San Blas

Insediamento degli Indiani Kuna nelle isole del golfo di San Blas

Village d'indiens Kuna sur des îles du golfe de San Blas

Poblado de los indios kuna en las islas del golfo de San Blas

| | | | | | |
|---|---|---|---|---|---|
| a | Cathedral of Havana, Cuba, 18th century | Kathedrale von Havanna, Kuba, 18. Jahrhundert | Cattedrale di l'Avana, Cuba, XVIII secolo | Cathédrale de la Havane, Cuba, XVIIIᵉ siècle | Catedral de la Habana, Cuba, siglo XVIII |
| b | Hopetown, Bahamas | Hopetown, Bahamas | Hopetown, Bahamas | Hope Town, Bahamas | Hope Town, Bahamas |
| c | Havana, Cuba | Havanna, Kuba | L'Avana, Cuba | La Havane, Cuba | La Habana, Cuba |

**Cuba – Bahamas, 18-19th century**

| | | | | | |
|---|---|---|---|---|---|
| a | Castle of Columbus, Hispaniola | Kolumbusschloss, Hispaniola | Castello di Colombo, Hispaniola | Château de Colomb, Hispaniola | Castillo de Colón, La Española |
| b | La Victoire, Haiti | La Victoria, Haiti | La Victoire, Haiti | La Victoire, Haïti | La Victoria, Haití |
| c | Palace of Sans-Souci, Haiti | Palast von Sans-Souci, Haiti | Palazzo di Sans-Souci, Haiti | Palais de Sans-Souci, Haïti | Palacio de Sans-Souci, Haïtí |

House of the Warrau indians    Haus der Warrau-Indianer    Casa degli Indiani Warrau    Maison d'indiens warrau    Vivienda de los indios warrau

Venezuela , c. 1900

| a | Maracaibo, pile village | Maracaibo, Pfahldorf | Maracaibo, villaggio su palafitte | Maracaibo, un village sur pilotis | Poblado construido sobre pilotes en Maracaibo. |
| b | Pile house | Pfahlhaus | Casa su palafitte | Une maison sur pilotis | Cabaña erigida sobre pilotes |

| a | Cayenne, Guyana | Cayenne, Guyana | Cayenne, Guyana | Cayenne, Guyanne | Cayena, Guyana |
|---|---|---|---|---|---|
| b-c | Paramaribo, Surinam | Paramaribo, Surinam | Paramaribo, Suriname | Paramaribo, Surinam | Paramaribo, Surinam |
| d | Saint Pierre, Matinique | Saint Pierre, Martinique | Saint Pierre, Martinica | Saint-Pierre, Martinique | Saint Pierre, Martinica |

Guyana – Surinam – Matinique, c. 1900

| a | Houses | Häuser | Case | Quelques maisons | Poblado |
| b | Indian houses | Indianische Häuser | Case indiane | Maisons indiennes | Moradas indias |
| c | Farm near Orinoco river | Farm beim Fluss Orinoco | Fattoria vicino al fiume Orinoco | Ferme près de la rivière Orinoco | Granja a orillas del río Orinoco |

Guyana, c. 1900

Indian house near Orinoco river

Indianisches Haus beim Fluss Orinoco

Casa indiana vicino al fiume Orinoco

Maison indienne près de la rivière Orinoco

Vivienda india junto al río Orinoco

Guyana, c. 1900

| a | Indian house near Magdalena river, Colombia | Indianisches Haus beim Fluss Magdalena, Kolumbien | Casa indiana vicino al fiume Magdalena, Colombia | Maison indienne près de la rivière Magdalena, Colombie | Morada india a orillas del río Magdalena, en Colombia |
|---|---|---|---|---|---|
| b | House of the Amazon indians, British Guyana | Haus der Amazonas-Indianer, Britisch-Guyana | Casa degli Indiani dell'Amazzonia, Guyana britannica | Maisons des indiens Amazones, Guyanne anglaise | Morada de los indios del Amazonas, Guayana Británica |
| c | Indian huts, Colombia | Indianerhütten, Kolumbien | Capanne indiane, Colombia | Huttes indiennes, Colombie | Tiendas indias, Colombia |

Street in Antioquia        Straße in Antiochia        Strada di Antioquia        Une rue d'Antioquia        Calle de Antioquía

Colombia, c. 1900

| a | Plaza San Victoria, Bogotá | Plaza San Victoria, Bogotá | Plaza San Victoria, Bogotá | Place San Victoria, Bogota | Plaza Santa Victoria, Bogotá |
| b | Entrance to market, Honda | Zugang zum Markt, Honda | Entrata del mercato, Honda | Entrée d'un marché, Honda | Entrada al mercado, Honda |
| c | House near Honda | Haus bei Honda | Casa vicino Honda | Une maison près de Honda | Vivienda cercana a Honda |

| **a-c** | Jungle shelter | Dschungelunterstand | Riparo nella foresta | Abri dans la forêt | Refugio en la selva |

**Brazil, c. 1900**

| a-b | Indian houses | Indianische Häuser | Case indiane | Maisons indiennes | Viviendas indias |

Brazil, c. 1900    South-America    433

| | | | | | |
|---|---|---|---|---|---|
| a | Tabatinga | Tabalinga | Tabatinga | Tabatinga | Tabatinga |
| b | Porto de Moz | Porto de Moz | Porto de Moz | Porto de Moz | Porto de Moz |
| c | Belém | Belém | Belém | Belem | Belém |
| d | Caxoeïra | Caxoeïra | Caxoeïra | Caxoeïra | Caxoeïra |
| e | Fountain, Passo Fundo | Brunnen, Passo Fundo | Fontana, Passo Fundo | Une fontaine à Passo Fundo | Fuente en Passo Fundo |
| f | San José Convent, Rio de Janeiro | Kloster von San José, Rio de Janeiro | San José Convent, Rio de Janeiro | Couvent de San José, Rio de Janeiro | Convento de San José, Río de Janeiro |

**Brazil, c. 1900**

| a | Rio de Janeiro | Rio de Janeiro | Rio de Janeiro | Rio de Janeiro | Río de Janeiro |
| b | Ouro Preto Brazil | Ouro Prêto Brazil | Ouro Prêto Brazil | Ouro Preto, Brésil | Ouro Preto, Brasil |

Santo Domingo, Quayaquil, 1548

Santo Domingo, Quayaquil, 1548

Santo Domingo, Guayaquil, 1548

Santo Domingo, Quayaquil, 1548

Santo Domingo, Guayaquil, 1548

**Ecuador, 16th century**

| a | Cathedral of San Francisco, Quayaquil | Kathedrale San Francisco, Quayaquil | Cattedrale di San Francisco, Guayaquil | Cathédrale de San Francisco, Quayaquil | Catedral de San Francisco, Guayaquil |
|---|---|---|---|---|---|
| b | Street in Quayaquil | Straße in Quayaquil | Strada di Guayaquil | Une rue de Quayaquil | Avenida en la ciudad de Guayaquil |

| a | Temple of the Sun, Titicaca Island, c. 1100 | Sonnentempel, Titicacainsel, um 1100 | Tempio del Sole, Isola Titicaca, ca. 1000 | Temple du Soleil, île de Titicaca, vers 1100 | El Templo del Sol, en la isla de Titicaca, alrededor de 1100 |
| b | Inca temple, Cuzco | Inkatempel, Cuzco | Tempio Inca, Cuzco | Temple inca, Cuzco | Templo inca en Cuzco |

**Peru, 12th century**

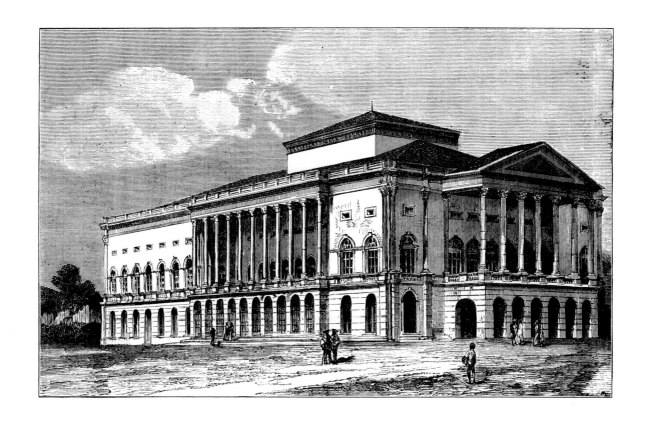

| a | Theatre of La Paz, Bolivia | Theater von La Paz, Bolivien | Teatro della Paz, Bolivia | Théâtre de La Paz, Bolivie | Teatro de La Paz, en Bolivia |
| b | Lima, c. 1850, Peru | Lima, um 1850, Peru | Lima, ca. 1850, Perù | Lima, Pérou, vers 1850 | Imagen de Lima, Perú, datada de 1850 |

| a | Cathedral of Arequipa, 1612 | Kathedrale von Arequipa, 1612 | Cattedrale di Arequipa, 1612 | Cathédrale d'Arequipa, 1612 | Catedral de Arequipa, 1612 |
| b | Pizarro's palace, Cuzco | Pizarropalast, Cuzco | Palazzo di Pizarro, Cuzco | Palais de Pizarro, Cuzco | Palacio de Pizarro, en Cuzco |

**Peru, 17th century**

| a | Cathedral of Chuquisaca | Kathedrale von Chuquisaca | Cattedrale di Chuquisaca | Cathédrale de Chuquisaca | Catedral de Chuquisaca |
| b | Potosí | Potosí | Potosí | Potosí | Potosí |
| c | Ilimani | Ilimani | Ilimani | Ilimani | Ilimani |

**Bolivia**

| a | Santiago de Chile | Santiago de Chile | Santiago del Cile | Santiago du Chili | Santiago de Chile |
|---|---|---|---|---|---|
| b | Paseo de Tajamar, Santiago de Chile | Paseo de Tajamar, Santiago de Chile | Paseo de Tajamar, Santiago del Cile | Avenue de Tajamar, Santiago du Chili | Paseo de Tajamar, Santiago de Chile |
| c | La Cañada, Santiago de Chile | La Cañada, Santiago de Chile | La Cañada, Santiago del Cile | La Cañada, Santiago du Chili | La Cañada, Santiago de Chile |

| a | Hacienda | Hacienda | Hacienda | Hacienda | Hacienda |
| b | Market in Chillán | Markt in Chillán | Mercato a Chillán | Un marché de Chillán | Mercado en la población de Chillán |

Chile, c. 1900

| a-b | Valparaíso | Valparaíso | Valparaíso | Valparaíso | Valparaíso |
| c | Talcahuanaco | Talcahuanaco | Talcahuanaco | Talcahuanaco | Talcahuanaco |

Chile, c. 1900

| a | Montevideo, Uruguay | Montevideo, Uruguay | Montevideo, Uruguay | Montevideo, Uruguay | Montevideo, Uruguay |
| b | Asunción, Paraguay | Asunción, Paraguay | Asunción, Paraguay | Asunción, Paraguay | Asunción, Paraguay |

**Uruguay – Paraguay, c. 1900**

| | | | | | |
|---|---|---|---|---|---|
| a-b | Square in Buenos Aires | Platz in Buenos Aires | Piazza di Buenos Aires | Une place de Buenos Aires | Imagen de una plaza de Buenos Aires |
| c | Santo Domingo, Buenos Aires | Santo Domingo, Buenos Aires | Santo Domingo, Buenos Aires | Santo Domingo, Buenos Aires | Santo Domingo, Buenos Aires |
| d | Fort of Buenos Aires | Fort von Buenos Aires | Forte di Buenos Aires | Un fort de Buenos Aires | Fuerte en Buenos Aires |

**Argentina**

| a | La Alameda, Mendoza | La Alameda, Mendoza | La Alameda, Mendoza | La Alameda, Mendoza | La Alameda, Mendoza |
| b | Street in Buenos Aires | Straße in Buenos Aires | Strada di Buenos Aires | Une rue de Buenos Aires | Imagen de una calle de Buenos Aires |

Argentina, c. 1900

Africa
Afrika
Africa
Afrique
África
アフリカ
非洲

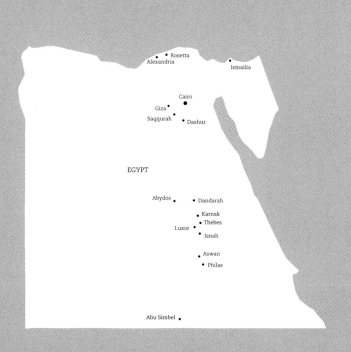

EGYPT

Rosetta
Alexandria
Ismailia

Cairo
Giza
Saqqurah
Dashur

Abydos
Dandarah
Karnak
Thebes
Luxor
Isnah

Aswan
Philae

Abu Simbel

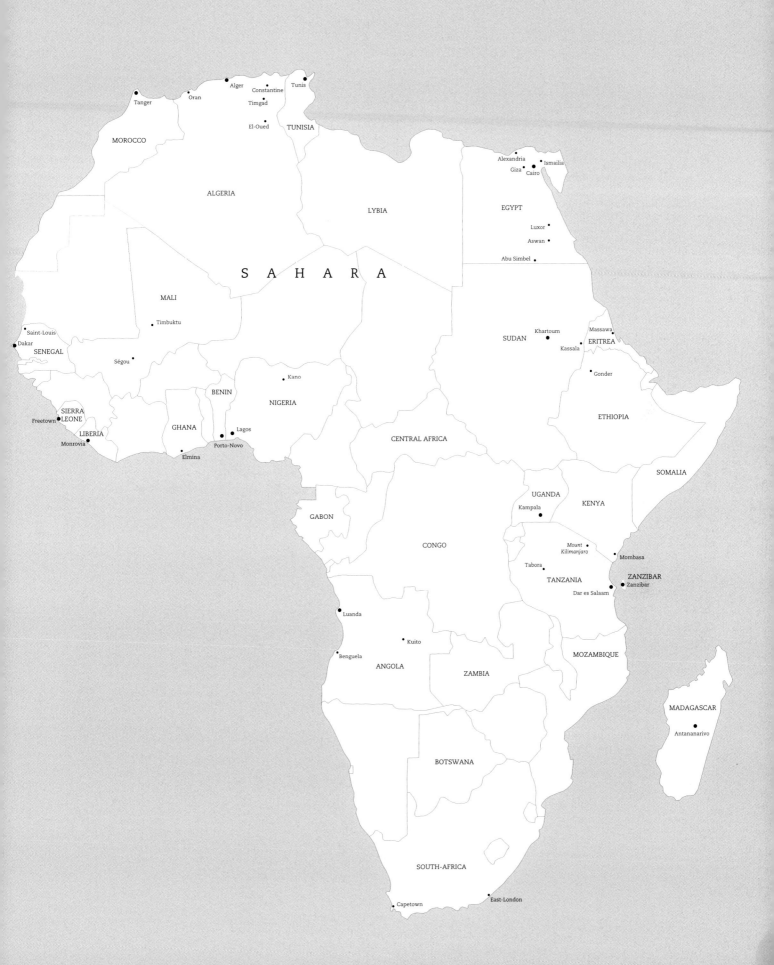

MOROCCO

Tanger
Oran
Alger
Constantine
Timgad
Tunis
TUNISIA
El-Oued

ALGERIA

LYBIA

Alexandria
Ismailia
Giza Cairo

EGYPT

Luxor
Aswan

Abu Simbel

SAHARA

MALI

Timbuktu

Khartoum
SUDAN
Massawa
ERITREA
Kassala

Saint-Louis
Dakar
SENEGAL

Ségou

Gonder

Kano

BENIN
NIGERIA

ETHIOPIA

SIERRA
LEONE
Freetown
GHANA
LIBERIA
Monrovia
Lagos
Porto-Novo
Elmina

CENTRAL AFRICA

SOMALIA

UGANDA
KENYA
Kampala

GABON

CONGO

Mount
Kilimanjaro
Mombasa
Tabora
ZANZIBAR
TANZANIA
Zanzibar
Dar es Salaam

Luanda

Kuito
Benguela
ANGOLA
ZAMBIA
MOZAMBIQUE

MADAGASCAR

Antananarivo

BOTSWANA

SOUTH-AFRICA

Capetown
East-London

Tanger          Tanger          Tangeri          Tanger          Tánger

**Morocco, c. 1900**

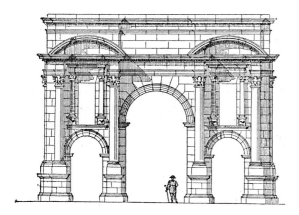

| a | Roman triumphal arch, Timgad, c. 100 AD | Römischer Triumphbogen, Timgad, um 100 n. Chr. | Arco trionfale romano, Timgad, ca. 100 d.C. | Arc de triomphe romain, Timgad, vers 100 ap. J.-C. | Arco de triunfo romano, Timgad, hacia el año 100 |
| b | Alger | Algier | Algeri | Alger | Argel |
| c | Street in Constantine | Straße in Constantine | Strada di Constantine | Rue de Constantine | Calle de Constantina |

| a | Interior of a moorish house | Maurisches Haus, innen | Interno di una casa moresca | Intérieur d'une maison mauresque | Interior de una casa morisca |
| b | Jewish synagogue | Jüdische Synagoge | Sinagoga ebraica | Synagogue juive | Sinagoga judía |

Ruins near Alger        Ruinen bei Algier        Rovine vicino ad Algeri        Ruines près d'Alger        Ruinas cerca de Argel

| a | El-Oued | El-Oued | El-Oued | El-Oued | El Oued |
| b | Algerian city with tomb | Algerische Stadt mit Grabmal | Città algerina con tomba | Tombeau dans une ville algérienne | Sepulcro en una ciudad argelina |

Algeria, c.1900

| a | The Great Mosque, Oran, 1796 | Die Große Moschee, Oran, 1796 | La Grande Moschea, Oran, 1796 | La Grande Mosquée, Oran, 1796 | La Gran Mezquita, Orán, 1796 |
| b | Courtyard, Oran | Innenhof, Oran | Cortile, Oran | Cour, Oran | Patio interior, Orán |
| c | Village under construction, Oran province, c. 1900 | Stadt im Bau, Provinz Oran, um 1900 | Paese in costruzione, provincia di Oran, ca. 1900 | Village en construction, province d'Oran, vers 1900 | Poblado en construcción, provincia de Orán, hacia 1900 |

Algeria, 18-19th century

| a | Watch tower | Wachturm | Osservatorio | Tour de guet | Atalaya |
| b | Marabouts' tombs | Grabstätten von Marabouts (Heilige Männer) | Tombe di Marabuto | Tombeaux de marabouts | Sepulcros de morabitos |

| a-b | Caravanserai | Karawanserei | Caravanserraglio | Caravansérail | Caravasar |
| c | Market place in the Algerian Sahara | Marktplatz in der algerischen Sahara | Piazza del mercato nel Sahara algerino | Marché dans le Sahara algérien | Mercado en el Sahara argelino |

| a | Ghat, Lybia | Ghat, Lybien | Ghat, Libia | Ghat, Lybie | Ghat, Libia |
| b | City in the Sahara | Stadt in der Sahara | Città nel Sahara | Ville du Sahara | Ciudad del Sahara |

Lybia – Sahara, c. 1900

a-c      Tent in the Sahara        Zelt in der Sahara        Tenda nel Sahara        Tente dans le Sahara        Jaimas en el Sahara

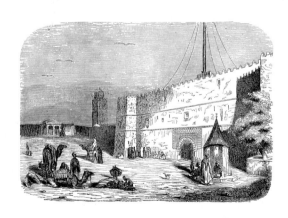

| a-b | View of Tunis | Blick auf Tunis | Vista di Tunisi | Vue de Tunis | Vista de Túnez |
| c | French Quarter, Tunis | Französisches Viertel, Tunis | Quartiere francese, Tunisi | Quartier français, Tunis | Barrio Francés, Túnez |
| d | Kashbah Square, Tunis | Kasbahplatz, Tunis | Piazza della Casba, Tunisi | Place de la Kasba, Tunis | Plaza de Kasba, Túnez |

Tunisia, c. 1900

| a-c | Street in Tunis | Straße in Tunis | Strada di Tunisi | Rue de Tunis | Calle de Túnez |
| d | Lion's Court, Bardo, Tunis | Löwenhof, Bardo, Tunis | Cortile dei leoni, Bardo, Tunisi | Cour du Lion, le Bardo, Tunis | Patio del León, El Bardo, Túnez |

Tunisia, c. 1900

Sphinx and pyramid      Sphinx und Pyramide      Sfinge e piramide      Sphinx et pyramide      Esfinge y pirámide

     **Egypt, 27-26th century** BC

| | | | | | |
|---|---|---|---|---|---|
| **a** | Pyramid of Meydoom | Pyramide von Meidum | Piramide di Meydoom | Pyramide de Meïdoum | Pirámide de Meidum |
| **b, e-f** | Pyramid of Giza, c. 2575-2465 BC | Pyramide von Gizeh, um 2575-2465 v. Chr. | Piramide di Biza, ca. 2575-2465 a.C. | Pyramide de Guizeh, vers 2575-2465 av J.-C. | Pirámides de Guiza, hacia 2575-2465 a.C. |
| **c** | Blunted pyramid of King Snefru, Dashur, c. 2575-2465 BC | Abgestumpfte Pyramide von König Snefru, Dashur, um 2575-2465 v.Chr. | Piramide smussata del Re Snefru, Dashur, ca. 2575-2465 a.C. | Pyramide avec plan incliné du roi Snefrou, Dachour, vers 2575-2465 av J.-C. | Pirámide inclinada del Rey Snefru, Dashur, hacia 2575-2465 a.C. |
| **d** | Step pyramid of Saqqurah, c. 2650-2575 BC, by Imhotep | Stufenpyramide von Saqqurah, um 2650-2575 v.Chr., von Imhotep | Piramide a scalinata di Saqqurah, ca. 2650-2575 a.C., di Imhotep | Pyramide à gradins construite par Imhotep entre 2650 et 2575 av J.-C, Saqqarah | Pirámide escalonada de Saqqara, construida por Imhotep hacia 2650-2575 a.C. |

| a | Egytian temple | Ägyptischer Tempel | Tempio egizio | Temple égyptien | Templo egipcio |
| b | Colonnade, Thebes, c. 1500 BC | Kolonnade, Theben, um 1500 v. Chr. | Colonnata, Tebe, ca. 1500 a.C. | Colonnade, Thèbes, vers 1500 av J.-C. | Columnata, Tebas, hacia 1500 a.C. |

Egypt, c. 1500 BC

| a | Madinat Habu, 12th century BC | Madinat Habu, 12. Jahrhundert v. Chr. | Madinat Habu, XII secolo a.C. | Madinat Habu, XIIe siècle av J.-C. | Madinat Habu, s. XII a.C. |
|---|---|---|---|---|---|
| b | Egytian temple | Ägyptischer Tempel | Tempio egizio | Temple égyptien | Templo egipcio |

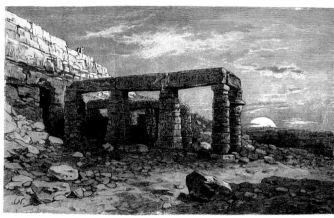

| a | Temple of Hathor, Dandarah, 305-30 BC | Hathortempel, Dandarah, 305-30 v. Chr. | Tempio di Hathor, Dandarah, 305-30 a.C. | Temple d'Hathor, Dandarah, 305-30 av .J.-C. | Templo de Hator, Dandara, 305-30 a.C. |
|---|---|---|---|---|---|
| b | Egyptian temple | Ägyptischer Tempel | Tempio egizio | Temple égyptien | Templo egipcio |
| c | Temple of Osiris, Abydos | Osiristempel, Abydos | Tempio di Osiris, Abidos | Temple d'Osiris, Abydos | Templo de Osiris, Abidos |
| d | Rock temple | Steintempel | Tempio roccioso | Temple de pierre | Templo de roca |
| e | Temple of Mentu, Hermonthis | Mentutempel, Hermonthis | Tempio di Mentu, Hermonthis | Temple de Mentu, Hermonthis | Templo de Mentu, Hermonthis |
| f | Ruins of the Ramesseum, 2nd century BC | Ruinen von Ramesseum, 2. Jahrhundert v. Chr. | Rovine del Ramesseum, II secolo a.C. | Ruines du Ramesseum, IIe siècle av J.-C. | Ruinas del Ramesseum, s. II a.C. |

**Egypt, 4th-1st century** BC

a | Statues of Ramses II, main entrance of the Great Temple of Abu Simbel, 13th century BC | Statuen von Ramses II., Haupteingang zum Großen Tempel von Abus Simbel, 13. Jahrhundert v. Chr. | Statue di Ramsete II, entrata principale del Grande Tempio di Abu Simbel, XIII secolo a.C. | Statues de Ramsès II, entrée principale du grand temple d'Abou Simbel, XIIIe siècle av J.-C. | Estatuas de Ramsés II, entrada principal del Gran Templo de Abu Simbel, s. XIII a.C.

b | Temple complex, Karnak, 3400-3100 BC | Tempelkomplex, Karnak, 3400-3100 v. Chr | Complesso del tempio, Karnak, 3400-3100 a.C. | Complexe de temples à Karnak, 3400-3100 av J.-C. | Conjunto de templos en Karnak, 3400-3100 a.C.

| a-b | Temple complex, Karnak, 3400-3100 BC | Tempelkomplex, Karnak, 3400-3100 n. Chr. | Complesso del tempio, Karnak, 3400-3100 a.C. | Groupe de temples à Karnak, 3400-3100 av J.-C. | Conjunto de templos en Karnak, 3400-3100 a.C. |

**Egypt, 4th century BC**

| a | Temple of Hatshepsut, Dayr-al-Bahri, 15th century BC | Hatschepsuttempel, Dayr-al-Bahri, 15. Jahrhundert v. Chr. | Tempio di Hatshepsut, Dayr-al-Bahri, XV secolo a.C. | Temple d'Hatshepsut, Dayr-al-Bahri, XVe siècle av J.-C. | Templo de Hatsepsut, Dayr al-Bahari, s. XV a.C. |
| b | Temple of Luxor, 14th century BC | Tempel von Luxor, 14. Jahrhundert v. Chr. | Tempio di Luxor, XIV secolo a.C. | Temple de Louxor, XIVe siècle av J.-C. | Templo de Luxor, s. XIV a.C. |
| c | Archway with hieroglyphs, Dandarah, 305-30 BC | Bogengang mit Hieroglyphen, Dandarah, 305-30 n. Chr. | Arco con geroglifici, Dandarah, 305-30 a.C. | Arche ornée de hiérogly-phes, Dandarah, 305-30 av J.-C. | Arco con jeroglíficos, Dandara, 305-30 a.C. |

Peristyle in the temple of Isis,
Philae

Perystil im Isistempel, Philae

Peristilio nel tempio di Iside,
Philae

Péristyle du temple
d'Isis, Philae

Peristilo del templo de Isis,
File

Egypt

Egyptian columns          Ägyptische Säulen          Colonne egizie          Colonnes égyptiennes          Columnas egipcias

Temple of Isis, Philae      Isistempel, Philae      Tempio di Iside, Philae      Temple d'Isis, Philae      Templo de Isis, File

Temple of Hathor, Dandarah, 305-30 BC

Hathortempel, Dandarah, 305-20 v. Chr.

Tempio di Hathor, Dandarah, 305-30 a.C.

Temple d'Hathor, Dandarah, 305-30 av J.-C.

Templo de Hator, Dandara, 305-30 a.C.

**Egypt, 4th-1st century**

| Hall in the great Temple of Amon, Karnak | Halle im Großen Ammontempel, Karnak | Entrata nel grande Tempio di Amon, Karnak | Cour d'accueil du grand temple d'Amon à Karnak | Galería en el gran Templo de Amon, Karnak |

**Egypt, 13th century**

Temple of Amon, Madinat Habu     Ammontempel, Madinat Habu     Tempio di Amon, Madinat Habu     Temple d'Amon, Madinat Habu     Templo de Amon, Madinat Habu

| a | Mausoleum in the desert near Aswan | Mausoleum in der Wüste bei Aswan | Mausoleo nel deserto vicino ad Aswan | Mausolée situé dans le désert près d'Aswan | Mausoleo en el desierto, cerca de Asuán |
| b | Ruins in the desert between Aswan and Philae | Ruinen in der Wüste zwischen Aswan und Philae | Rovine nel deserto fra Aswan e Philae | Ruines situées dans le désert entre Assouan et Philae | Ruinas en el desierto, entre Asuán y File |

Egypt

| a | Tomb | Grabmal | Tomba | Tombeau | Sepulcro |
|---|------|---------|-------|---------|----------|
| b | Mosque-tomb near Aswan | Moscheengrab in der Nähe von Aswan | Moschea-tomba vicino ad Aswan | Tombeau-mosquée près d'Assouan | Sepulcro-mezquita en los alrededores de Asuán |

| a | Sawhaj | Sawhaj | Sawahaj | Sohag | Sohag |
| b | Market, Isnah | Markt in Isnah | Mercato, Isnah | Marché, Isna | Mercado en Isna |

Egypt, c. 1900

Street with school in Cairo      Straße mit Schule in Kairo      Strada con scuola al Cairo      Une école dans une rue du Caire      Escuela en una calle de El Cairo

**Egypt, c. 1900**      Africa    483

| a-b | Street in Cairo | Straße in Kairo | Strada del Cairo | Une rue du Caire | Una calle de El Cairo |
| c | Door of the Qala'un Mosque, 1283-5 | Tor zur Moschee Qala'un, 1283-5 | Porta della Moschea di Qala'un, 1283-5 | Porte d'entrée de la mosquée de Qala'un, 1283-85 | Puerta de la mezquita de Qala'un, 1283-1285 |

Egypt, 13-19th century

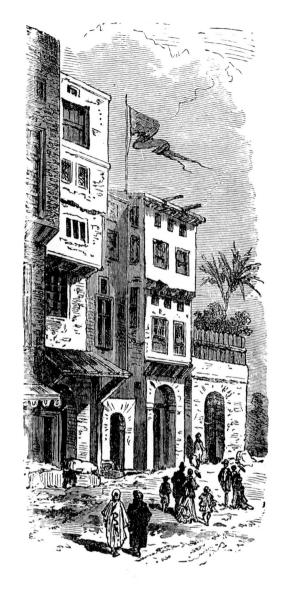

| | | | | | |
|---|---|---|---|---|---|
| a | Fountain and school, Cairo | Brunnen und Schule, Kairo | Fontana e scuola, Il Cairo | Une fontaine et une école au Caire | Una fuente y una escuela en El Cairo |
| b | House with projecting storeys, Rosetta | Haus mit hervorspringenden Stockwerken | Casa con piani sporgenti, Rosetta | Une maison avec des étages saillants, Rosetta | Casa con pisos salientes, Rosetta |
| c | House of the Qadi, Cairo | Haus des Qadi, Kairo | Casa del Qadi, Il Cairo | Maison du Cadi au Caire | Casa del Cadí, El Cairo |
| d | Farm, Ismailia | Bauernhof, Ismailia | Fattoria, Ismailia | Une ferme d'Ismaïlia | Una granja en Ismailía |

**Egypt, c. 1900**

Alley, Cairo        Gasse, Kairo        Vicolo, Il Cairo        Ruelle, LeCaire        Callejón, El Cairo

        **Egypt, c. 1900**

Khan al-Khalil Bazaar, 1390     Bazar Khan al-Khalil, 1390     Bazar Khan al-Khali, 1390     Bazar de Khan al-Khalil, 1390     Bazar de Khan al-Khalil, 1390

**Egypt, 14th century**     Africa   487

| a | Door, Cairo | Eingang, Kairo | Porta, Il Cairo | Porte, Le Caire | Puerta, El Cairo |
|---|---|---|---|---|---|
| b | Window in the Qala'un Mosque, Cairo, 1283-5 | Fenster der Moschee Qala'un, Kairo, 1283-5 | Finestra nella Moschea di Qala'un, Il Cairo, 1283-5 | Fenêtre de la mosquée de Qala'un au Caire, 1283-85 | Ventana de la mezquita de Qala'un, El Cairo, 1283-1285 |
| c | Window of a harem | Fenster eines Harems | Finestra di un harem | Fenêtre d'un harem | Ventana de un harén |
| d | Moucharaby window | Moucharabieh-Fenster | Finestra a gelosia | Fenêtre mozarabe | Ventana mozárabe |
| e | Arab decorative painting | Arabische Ziermalerei | Pittura decorativa araba | Peinture décorative arabe | Pintura decorativa árabe |
| f | Malkafs | Malkafs | Malkafs | Malkafs | Malkafs |

**Egypt, 13-19th century**

a-b    Birkat al-Fil, Cairo        Birkat al-Fil, Kairo        Birkat al-Fil, Il Cairo        Birkat al-Fil, Le Caire        Birkat al-Fil, El Cairo

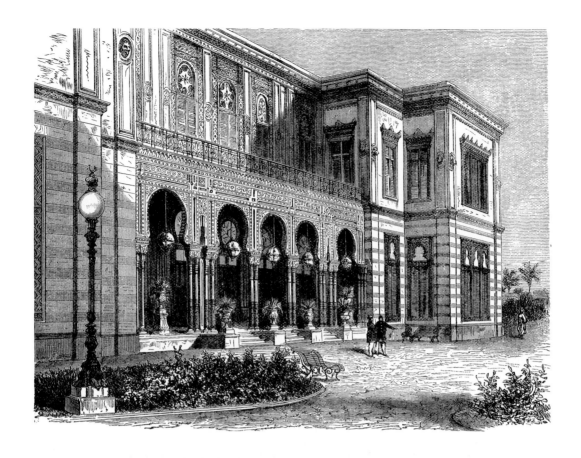

| a | Palace of Gezirah | Palast von Gezirah | Palazzo di Gezirah | Palais de Gezirah | Palacio de Gezirah |
|---|---|---|---|---|---|
| b | Kiosk in the Palace of Gezirah | Verkaufsstand im Palast von Gezirah | Padiglione del Palazzo di Gezirah | Un kiosque du palais de Gezirah | Quiosco en el palacio de Gezirah |

Egypt

| a | Palace of the Khedive | Palast des Khedive | Palazzo del kehdive | Palais du Khédive | Palacio del Jedive |
| b | Palace pavilion | Palastpavillon | Padiglione del palazzo | Pavillon du palais | Pabellón del palacio |

| a | Pyramids as seen from Cairo | Pyramide, von Kairo aus gesehen | Piramidi viste dal Cairo | Pyramides vues du Caire | Pirámides vistas desde El Cairo |
| b | Square, Cairo | Platz, Kairo | Piazza, Il Cairo | Place, Le Caire | Plaza, El Cairo |

Egypt, c. 1900

| a | Lighthouse, Alexandria | Leuchtturm, Alexandria | Faro, Alessandria | Phare, Alexandrie | Faro, Alejandría |
|---|---|---|---|---|---|
| b | "Nilometer" on an island in the river Nile | "Nilmesser", auf einer Insel inmitten des Nils | "Nilometro" su un'isola nel fiume Nilo | "Nilomètre" sur une île du Nil | "Nilómetro" en una isla del río Nilo |
| c | Dam in the Nile | Nildamm | Diga nel Nilo | Un barrage sur le Nil | Una presa en el Nilo |

**Egypt, 19th century**

| a | Cairo | Kairo | Il Cairo | Le Caire | El Cairo |
|---|-------|-------|----------|----------|----------|
| b | Mosque of 'Amr ibn al-'As, Cairo, 614 | Moschee von 'Amr ibn al-'As, Kairo, 614 | Moschea di Amr ibn al-'As, Il Cairo, 614 | Mosquée d'Amr ibn al-'As, Le Caire, 614 | Mezquita de 'Amr ibn al-'As, El Cairo, 614 |

Egypt, 7-19th century

a-b          Mosque                    Moschee                    Moschea                    Mosquée                    Mezquita

Mosque of Ahmad ibn Tulun, Cairo, 876

Moschee von Ahmad ibn Tuluns, Kairo, 876

Moschea di Ahmad ibn Tulun, Il Cairo, 876

Mosquée d'Ahmad ibn Tulun, Le Caire, 876

Mezquita de Ahmad ibn Tulun, El Cairo, 876

Egypt, 9th century

Interior of a mosque      Inneres einer Moschee      Interno di una moschea      Intérieur d'une mosquée      Interior de una mezquita

Qala'un Mosque, Cairo,
1283-5

Moschee Qala'un, Kairo,
1283-5

Moschea di Qala'un, Il Cairo,
1283-5

Mosquée de Qala'un,
Le Caire, 1283-85

Mezquita de Qala'un,
El Cairo, 1283-1285

Egypt, 13th century

Qala'un Mosque, Cairo,
1283-5

Moschee Qala'un, Kairo,
1283-5

Moschea di Qala'un, Il Cairo,
1283-5

Mosquée de Qala'un,
Le Caire, 1283-85

Mezquita de Qala'un,
El Cairo, 1283-1285

**Egypt, 13th century**

Interior of a palace          Palast, innen          Interno di un palazzo          Intérieur d'un palais          Interior de un palacio

Harem          Harem          Harem          Harem          Harén

Egypt          Africa   501

| a | Fasilides' Castle, Gonder, Ethiopia, 17th century | Schloss von Fasilides, Gonder, Äthiopien, 17. Jahrhundert | Castello di Fasilide, Gonder, Etiopia, XVII secolo | Château de Fasilides, à Gonder en Éthiopie, XVIIᵉ siècle | Castillo de Fasilides en Gonder, Etiopía, siglo XVII |
|---|---|---|---|---|---|
| b | Island on the coast of Eritrea | Insel an der Küste von Eritrea | Isola sulla costa dell'Eritrea | Île des côtes de l'Érythrée | Una isla de la costa de Eritrea |

**Ethiopia – Eritrea, 17-19th century**

| a | Massawa, Eritrea | Massawa, Eritrea | Massawa, Eritrea | Massawa, Érythrée | Massawa, Eritrea |
| b | Seylac, Somalia | Seylac, Somalia | Seylac, Somalia | Seylac, Somalie | Saylac, Somalia |

**Eritrea – Somalia, c. 1900**   Africa   503

Khartoum      Khartum      Khartoum      Khartoum      Jartum

**Sudan, c. 1900**

a    Berber           Berber           Berber           Berber           Berber

b    Kassala         Kassala         Kassala         Kassala         Kassala

Sudan, c. 1900         Africa  505

| a | Dinka village | Dinka-Dorf | Villaggio Dinka | Village dinka | Pueblo dinka |
| b | Bari village | Bari-Dorf | Villaggio Bari | Village bari | Pueblo bari |

Sudan, c. 1900

| a | Mangbetu hut | Hütte der Mangbetu | Capanna Mangbetu | Hutte mangbetu | Una cabaña mangbetu |
| b-c | Mangbetu village | Mangbetu-Dorf | Villaggio Mangbetu | Village mangbetu | Poblado mangbetu |
| d | Musumba | Musumba | Musumba | Musumba | Musumba |

Congo, c. 1900

| a | Ségou | Ségou | Ségou | Ségou | Ségou |
| b | Timbuktu | Timbuktu | Timbuctù | Tombouctou | Tombuctú |

Mali, c. 1900

a    Saint-Louis        Saint-Louis        Saint-Louis        Saint-Louis        Saint-Louis

b    Dakar            Dakar             Dakar             Dakar             Dakar

Senegal, c. 1900       

| a | Monrovia, Liberia | Monrovia, Liberia | Monrovia, Liberia | Monrovia, Libéria | Monrovia, Liberia |
|---|---|---|---|---|---|
| b | Elmina, Ghana | Elmina, Ghana | Elmina, Ghana | Elmina, Ghana | Elmina, Ghana |

**Liberia-Ghana, c. 1900**

| a | Ashanti village | Ashanti-Dorf | Villaggio Ashanti | Village ashanti | Pueblo ashanti |
| b | Mud village | Lehmdorf | Villaggio di fango | Village mud | Pueblo mud |

Ghana, c. 1900

| a | Temple of the dead, Porto-Novo | Totentempel, Porto-Novo | Tempio dei morti, Porto-Novo | Temple des morts à Porto-Novo | Templo mortuorio, Porto-Novo |
| b | Fetish tower, Porto-Novo | Fetischturm, Porto-Novo | Torre feticcio, Porto-Novo | Tour de culte à Porto-Novo | Torre fetichista, Porto-Novo |

Benin, c. 1900            Africa  513

| a | Pile village | Pfahldorf | Villaggio su palafitte | Village bâti sur pilotis | Poblado construido sobre pilotes |
| b | Palace of a king | Königspalast | Palazzo di un re | Palais d'un roi | Palacio de un rey |

Nigeria, c. 1900

Lagos          Lagos          Lagos          Lagos          Lagos

**Nigeria, c. 1900**

| a | Kano | Kano | Kano | Kano | Kano |
| b | Nigerian village | Nigerianisches Dorf | Villaggio nigeriano | Village nigérian | Pueblo nigeriano |

Nigeria, c. 1900

| a | Storehouse, Congo | Lagerhaus, Kongo | Magazzino, Congo | Un entrepôt au Congo | Un almacén en el Congo |
| b | Lowale village, Central Africa | Lovale-Dorf, Zentralafrika | Villaggio Lowale, Africa Centrale | Village lowale en Afrique centrale | Pueblo lowale, África central |
| c | Huts near Kasai River, Congo | Hütten beim Fluss Kasai, Kongo | Capanne vicino al fiume Kasai, Congo | Huttes près de la rivière Kasai au Congo | Cabañas cerca del río Kasai, Congo |

**Central Africa – Congo, c. 1900**

| a | Village | Dorf | Villaggio | Village | Poblado |
| b | Street in a village near Fernand Vaz river, Gabon | Straße in einem Ort beim Fluss Fernand Vaz, Gabun | Strada di un villaggio vicino al fiume Fernand Vaz, Gabon | Rue d'un village près de la rivière Fernand Vaz au Gabon | Calle de un pueblo cercano al río Fernand Vaz, Gabón |

Gabon, c. 1900

| a | Village | Dorf | Villaggio | Village | Poblado |
| b | Lupanda | Lupanda | Lupanda | Lupanda | Lupanda |

Congo, c. 1900      Africa   519

| a | Village | Dorf | Villaggio | Village | Poblado |
| b | Lupanda | Lupanda | Lupanda | Lupanda | Lupanda |

Congo, c. 1900

a-b          Village          Dorf          Villaggio          Village          Poblado

| a | Hut under construction | Hütte im Bau | Capanna in costruzione | Hutte en construction | Cabaña en construcción |
| b-c | Hut | Hütte | Capanna | Hutte | Cabaña |
| d | Pile house | Pfahlhaus | Casa su palafitte | Maison sur pilotis | Casa construida sobre pilotes |

**Congo, c. 1900**

| a | Pile houses in a lake | Pfahlbauten in einem See | Case su palafitte in un lago | Un lac avec maisons sur pilotis | Casas construidas sobre pilotes en un lago |
| b | Bridge over the Ruvubu River | Brücke über den Fluss Ruvubu | Ponte sul fiume Ruvubu | Un pont sur la rivière Ruvubu | Puente sobre el río Ruvubu |

**Congo, c. 1900**   Africa   523

| a | Kampala | Kampala | Kampala | Kampala | Kampala |
|---|---------|---------|---------|---------|---------|
| b | Mombasa | Mombasa | Mombasa | Mombasa | Mombasa |

Uganda – Kenya, c. 1900

| a | Dar es Salaam | Dar es Salaam | Dar es Salaam | Dar es Salaam | Dar es Salam |
|---|---|---|---|---|---|
| b | Village | Dorf | Villaggio | Village | Poblado |

Tanzania, c. 1900

Huts near mount Kilimanjaro     Hütte beim Kilimanjaro     Capanne vicino al Kilimangiaro     Des huttes près du Kilimanjaro     Cabañas cerca del monte Kilimanjaro

**Tanzania, c. 1900**

| | | | | | |
|---|---|---|---|---|---|
| a | Bagamoyo | Bagamoyo | Bagamoyo | Bagamoyo | Bagamoyo |
| b | Village near Tembe River | Dorf beim Fluss Tembe | Villaggio vicino al fiume Tembe | Village près de la rivière Tembe | Poblado en las proximidades del río Tembe |

| a | Unyanyembe, near Tabora | Unyanyembe bei Tabora | Unyanyembe, vicino Tabora | Unyanyembe, près de Tabora | Unyanyembe, cerca de Tabora |
|---|---|---|---|---|---|
| b-c | Village | Dorf | Villaggio | Village | Poblado |
| d-e | Hut | Hütte | Capanna | Hutte | Cabaña |
| f | Village near Manyara Lake | Dorf beim Manyara-See | Villaggio vicino al lago Manyara | Village près du lac Manyara | Poblado cerca del lago Manyara |
| g | Abandoned village | Verlassenes Dorf | Villaggio abbandonato | Village abandonné | Pueblo abandonado |

**Tanzania, c. 1900**

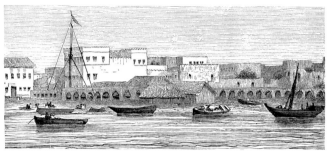

| a-b | Zanzibar | Sansibar | Zanzibar | Zanzibar | Zanzibar |
|-----|----------|----------|----------|----------|----------|
| c | Village on the coast | Dorf an der Küste | Villaggio sulla costa | Village côtier | Pueblo costero |

| a | Warehouse | Warenlager | Magazzino | Entrepôt | Almacén |
| b | Kuito | Kuito | Kuito | Kuito | Kuito |

Angola, c. 1900

| a | Luanda | Luanda | Luanda | Luanda | Luanda |
| b | Custom house, Benguela | Zollgebäude, Benguela | Dogana, Benguela | Douane, Benguela | Puesto aduanero, Benguela |

Angola, c. 1900          Africa   531

| a | Luvale village, Zambia or Angola | Luvale-Dorf, Sambia oder Angola | Villaggio Luvale, Zambia o Angola | Village luvale, Zambie ou Angola | Pueblo lovale, Zambia o Angola |
|---|---|---|---|---|---|
| b | Fetish hut, Angola | Fetischhütte, Angola | Copricapo feticcio, Angola | Hutte consacrée au culte en Angola | Cabaña fetichista en Angola |
| c | Village near Kuito, Angola | Dorf bei Kuito, Angola | Villaggio presso Kuito, Angola | Village près de Kuito en Angola | Pueblo cerca de Kuito, Angola |
| d | Portugese settlement, Angola | Portugiesische Siedlung, Angola | Insediamento portoghese, Angola | Village portugais en Angola | Poblado portugués en Angola |

Angola – Zambia, c. 1900

| a | Mbundu hut, Angola | Mbundu-Hütte, Angola | Capanna Mbundu , Angola | Hutte mbundu en Angola | Cabaña mbundu, Angola |
|---|---|---|---|---|---|
| b | Hut, Botswana | Hütte, Botswana | Capanna, Botsawana | Une hutte du Botswana | Cabaña, Botsuana |
| c | Village near Zambesi River, Mozambique | Dorf beim Fluss Sambesi, Mosambik | Villaggio vicino al fiume Zambesi, Mozambico | Village près de la rivière Zambesi, au Mozambique | Poblado cerca del río Zambeze, Mozambique |

Angola – Botswana – Mozambique, c. 1900

East-London          Ost-London          East-London          East London          East London

**South-Africa, c. 1900**

Capetown          Kapstadt          Città del Capo          Le Cap          Ciudad del Cabo

**South-Africa, c. 1900**          Africa   535

| a | Bushmen's kraal | Kraal der Buschmänner | Kraal boscimano | Un kraal (enclos) appartenant à des paysans | Un kraal (aldea) de bosquimanos |
| b | Zulu village | Zulu-Dorf | Villaggio Zulù | Village zoulou | Pueblo zulú |

**South-Africa, c. 1900**

Bantu village        Bantu-Dorf        Villaggio Bantu        Village bantu        Pueblo bantú

**South-Africa, c. 1900**

| a | Antananarivo | Antananarivo | Antananarivo | Antananarivo | Antananarivo |
| b | Village | Dorf | Villaggio | Village | Poblado |

Madagascar, c. 1900

| a | Royal estate, Antananarivo | Königliches Anwesen, Antananarivo | Tenuta regale, Antananarivo | Demeure royale à Antananarivo | Finca regia en Antananarivo |
| b | Storehouse | Lagerhaus | Magazzino | Entrepôt | Almacén |

Madagascar, c. 1900

| a | Betsileo villages | Betsileo-Dorf | Villaggi Betsileo | Villages betsileo | Pueblos betsileos |
| b | Betsileo house | Betsileo-Haus | Casa Betsileo | Maison betsileo | Casa betsilea |
| c | Rice storehouses | Lagerhaus für Reis | Magazzini di riso | Entrepôts de riz | Almacenes de arroz |

**Zimbabwe, c. 1900**

Index
Register
Indice
Index
Índice
索引
索 引